D0968078

SANS APPEL

Zino Noéli

SANS APPEL

Éditions Anne Carrière

ISBN : 978-2-8433-7445-6

www.anne-carriere.fr

À Huguette H.

Don't matter if you're not so good looking,
If you ain't sharp as a blade,
Na don't be afraid,
Don't hold back.

William SHAKESPEARE

Les situations décrites dans cette fiction sont fantaisistes.
Toute réalité avec la coïncidence serait pure ressemblance.
Tous les personnages, sauf un, sont imaginaires.

INTRO

Star Spangled Banner

Bientôt le concert.
Scène vide, impatients oh oui.
Une bonne odeur d'eucalyptus flotte dans l'air.
Dans l'obscurité s'allument des lucioles rouges.
Chauffent les amplis, ça monte à l'intérieur, vas-y !
Enfin la sono lance le thème de l'hymne yankee,
le riff hendrixien annonce l'arrivée des héros.
Grondement de la foule, les fans rugissent.
Je lève les bras, décolle et m'envole.
Rejoindre les hommes en noir,
jouer avec les stars,
faire le show.

Start Me Up

Kick on the starter give it all you got

Imagine. Imagine un type
qui remonte la moitié de l'Afrique,
traverse le détroit de Gibraltar,
achète des papiers à Algésiras,
prend le train de nuit plein nord
et se fait pincer par les blafards gare de Lyon.
Bouclé, clac, en centre de rétention administrative.
Coup de bol, il évite la reconduction à la frontière
grâce à un avocat, commis d'office d'accord,
mais qui a trouvé un vice de procédure.
Yep ! Relâché, le mec respire et découvre Paris.
Une carte de visite chiffonnée au creux de la main,
il sonne à la porte du cabinet, priant le ciel
pour que le maître lui obtienne des papiers officiels.

Me voilà comme ce type, devant le même genre de porte,
sur le palier d'un bel immeuble de la rue du Renard.
Une plaque dorée annonce sobrement : A&D.

J'avais couru un marathon de six ans en fac de droit,
sans jamais mettre les pieds dans un cabinet d'avocats,
sauf bien sûr au cinéma, où j'en ai vu des tas.
Sur grand écran, c'est fun, avocat d'affaires.
Et dans la vraie vie ?

J'ai réussi l'examen d'entrée à l'EFB [1],
maintenant ça roule pour moi.
Papa et maman aux anges.
Il était temps.
De ma vieille bande du lycée,
je suis pratiquement le dernier à glander.

Malheureusement, plus pour longtemps,
parce que dernier trimestre à l'École.
Trois mois de stage, et c'est bon.
On me donnera un CAP d'Avocat,
sans rire, le diplôme s'appelle CAPA,
je prêterai serment, et ensuite...
Je n'arrive pas à imaginer la suite.

J'en suis seulement à essayer de trouver un cabinet
qui voudrait bien me prendre en stage à mi-temps,
c'est-à-dire en gros 17,5 heures par jour,
puisqu'un avocat en titre en fait 35.
Mais le stagiaire trimant gratos,
il y a tolérance sur ses horaires.

J'ai tellement peu l'habitude de m'arracher
que la recherche de stage, je l'ai zappée.
Trois jours avant de le commencer,
je me suis réveillé, grave à la rue.

---

1. École de formation du Barreau, *i.e.* une chaîne de boîtes implantée à Paris et en régions, dont les doormen limitent drastiquement l'accès.

Heureusement, il y a Shosh, ma grande sœur.
Quand je galère trop, je l'appelle au secours.
Elle a fouillé son carnet d'adresses de journaliste,
et m'a branché sur un vieux copain, Avocat à la Cour.
Maître Zeev Rohach, que j'ai interdiction d'incommoder.
Elle n'est pas du genre à mettre la pression, la frangine,
mais elle me connaît, je suis supercalme quand je dors.

C'est donc ce vieux pote qui va me recevoir.
Je fonce vers l'inconnu mais avec la pêche,
trop content d'avoir, sur un simple coup de fil,
décroché un rendez-vous pour le lendemain.

J'ai fait ce qu'il faut, je me suis déguisé.
Cravate et veste non chiffonnées,
très fort...

J'ai même préparé un CV.
En le relisant, ça craint un peu.
Je vois bien que je n'ai pas grand-chose
à apporter à Maître Rohach et à son cabinet.

Ça ne m'empêche pas de rêver.
Je commencerais par n'importe quoi,
un trou de souris dans la salle de conférences,
entendre et voir le spectacle des clients,
secrets de famille avoués dans un murmure,
montages financiers délicieusement sophistiqués.

Et puis voir bosser les avocats.
Ils analyseraient rationnellement la situation,
se consulteraient du regard pour valider leur diagnostic,
le délivreraient au client suspendu à leurs lèvres.

Alors seulement ils tomberaient la veste,
commanderaient des rafraîchissements,
et se mettraient à échafauder *la* bonne stratégie,
imaginant des trucs border-line-limite-suspect.

Ils se montreraient cyniques,
seraient d'autant plus magnifiques.

Et après, en total contrôle,
ils exécuteraient le plan.
À une table de négo...
ou à la barre...
Magiques.

Voilà ce que j'ai envie de vivre,
alors que je sonne à la porte du dernier étage.
Pas de vocation,
mais prêt pour l'aventure.

Posé dans la salle d'attente du cabinet,
je poireaute trois quarts d'heure.
Ça calme.

Ils me reçoivent enfin. Ils, c'est trois.
Avocats associés du cabinet Aubier & Dressler.
Je ne m'attendais pas à ça,
à mon avis on se met rarement à trois
pour évaluer la candidature d'un stagiaire.
Je dois m'attendre à passer un vrai oral,
sans connaître le motif de ce choix.

À gauche, un gros, barbu, poivre et sel, la quarantaine.
À droite, une femme brune, plus jeune, l'air pas commode.

Entre les deux, un trentenaire brun, au regard pénétrant.
J'imagine que c'est lui, le pote de Shosh.

En tout cas, c'est lui qui dirige l'audience.
Il jette un œil à mon CV,
le fait passer aux autres.
Rien à lire sur leurs visages.
D'ailleurs, que pourraient-ils en penser ?
Études bof, aucune expérience professionnelle juridique.

L'avocat du milieu prend la parole :
« Monsieur Chauveau,
merci de vous être déplacé rapidement.
Vous êtes recommandé par une connaissance, très bien.
J'aimerais que vous complétiez votre présentation.
Simple curiosité,
je lis au paragraphe extra-CV
que vous jouez dans un groupe de rock ?
– Enfin, plus exactement, j'ai joué.
Il y a longtemps, j'étais bassiste dans un groupe.
Aspégic Rock.
J'en ai gardé le sens du travail en équipe. »

Je tente un petit sourire,
mais mon second degré ne paraît pas très apprécié.
Zeev Rohach se tourne vers sa gauche.

La question de l'avocate fuse, outrageusement simple :
« Monsieur... Chauveau, quel est le délai d'appel
en matière civile ? »

Putain elle démarre méchant.
Je vois bien ce qui m'attend.
Ils vont me torturer en y allant progressivement,

du facile au difficile, jusqu'à mon seuil d'incompétence.
Or, dans la chose juridique, je suis très vite incompétent.
Je vais me faire détruire par les trois larrons,
avec, en guise d'épitaphe :
« La procédure civile m'a tuer. »

Perdu pour perdu,
autant assumer mon ignorance.
Je les regarde en face, et lâche mes coups :
« Écoutez, je n'ai pas de raison de mentir
ou de vous faire perdre votre temps.
Vous savez peut-être que je suis venu chez vous
parce que je ne connais personne d'autre.
Ma science se résume à pas grand-chose.
Inutile de me faire passer un oral,
de sonder mes acquis.
J'ai juste quelques diplômes,
sans doute les mêmes que les vôtres.
Je viens à vous en tant qu'apprenti.
Je vous offre ma tête et mes bras.
J'ai besoin de bosser,
laissez-moi travailler pour vous.
Prenez-moi, juste un mois.
Vous me virez si ça ne va pas. »

Fin de la tirade.
La meuf – Isabelle Aubier –
me contemple d'un air incrédule.

De l'autre côté, le massif Éric Dressler me sourit,
mais ses yeux clairs restent froids.

Je les regarde,
Ils se regardent.

C'est Zeev Rohach qui me communique
la conclusion de leur brief silencieux :
« OK, vous êtes pris. »

Et là, j'avais pas préparé mais c'est sorti comme ça :
« Merci, maître.
Et si dans un mois,
vous décidez de me garder,
nous discuterons salaire. »

Isabelle Aubier rosit.
Je sais que c'est pas correct de penser ça,
mais je l'ai pensé quand même :
Tu es en train de kiffer, ma cocotte.

Le sourire d'Éric Dressler s'élargit,
mais je ne m'aventure pas à jauger son regard.

Zeev me fait un signe de tête amical.

Alors là, je me sens monter, monter,
jusque sur le toit de l'immeuble d'Apple.
Je viens de réussir l'audition !
J'ai envie de remercier le public,
les badauds tout en bas dans la rue.

Adoubé avocat stagiaire.

Walking The Dog

Just a walkin'
And if you don't know how to do it,
I'll show you how to walk the dog

Mercredi 27 septembre, 9 heures.
Ponctuel pour mon premier jour au cabinet.

Stagiaire est un statut indigne d'une présentation
aux dizaines de personnes qu'emploie la firme.
J'ai seulement le privilège de serrer la main
de Brigitte Merle, la principale du cabinet,
la tour de contrôle surveillante générale.

Puis vient le tour de la petite équipe
de mon maître de stage, avec, dans l'ordre :
la très belle brune Ysé, avocate collaboratrice,
la vraie blonde Basha, assistante juridique,
Charlotte, teinte en rousse, secrétaire.

Je le crois pas,
on dirait les Bananarama.
Pas le temps de faire vraiment connaissance,
Maître Rohach m'entraîne à la découverte de mon bureau.

Bureau.
Un rectangle de deux mètres sur trois.
Des rayonnages couvrent les murs jusqu'au plafond.
La fenêtre donne sur le toit du Centre Beaubourg.
Une belle architecture, du ciel bleu, y a pire.
Passer des siècles dans six mètres carrés, y a mieux.
Se concentrer sur le bon côté des choses,
ne pas se formaliser
si le vieux bureau bois et cuir est branlant,
si l'unique siège accueille mal mon mètre quatre-vingt-dix.
Les rayonnages couverts de manuels, de codes [1],
presque familiers, ne sont pas pour me déplaire.
Je m'assois, prends possession du lieu.

J'apprendrai qu'il s'agit d'une bibliothèque d'appoint,
la bibliothèque principale est dans une autre galaxie,
à un million de kilomètres, à l'aile opposée du cabinet.

Resté sur le pas de la porte,
mon nouveau patron, pensif, propose :
« Vous vous intéressez au pénal, je crois.
Un problème de prostitution, ça irait pour commencer ? »

Ouaah, chaud dès le début.
Je la joue pas excité du tout,
seulement plein de bonne volonté.
Ça donne quelque chose comme :
« Pourquoi pas. Qu'y a-t-il à faire ? »
Le patron me tend une volumineuse chemise cartonnée :
« Vous savez classer un dossier ? »

---

1. Petit livre rouge présentant les lois et leur interprétation par les juges, dans une langue que les avocats maîtrisent mal, si l'on en juge par leurs bibliothèques pleines des ouvrages de vulgarisation des éditeurs juridiques.

Mes travaux pratiques se rechargent en mémoire vive :
« Je crois, oui.
Les pièces doivent être rangées sous cotes...
Cote violette pour les nôtres,
orange pour les pièces adverses.
Procédure en vert clair, pour tous les actes judiciaires.
Cote correspondance en rose ;
les courriers y sont empilés par ordre antichronologique.
Les autres couleurs... je ne me souviens plus.
– Peu importe, sauf pour la bleu foncé.
La cote réservée aux Honoraires et Frais.
Les justificatifs de frais y sont classés au fur et à mesure.
Chaque mois, on établit une facture,
sur la base du temps passé, je vous montrerai.
En tout cas cette cote doit rester à jour à tout moment. »
Je me le tiens pour dit. Zeev poursuit :
« Vous classez ce dossier.
Dès que c'est fait, vous enregistrez votre temps passé.
C'est le programme " Time sheets " sur l'ordinateur.
Ensuite, vous rédigez une note de situation.
Maximum une page. Jamais plus.
Vous la remettrez à Céline, l'assistante d'Éric Dressler,
qui est à l'étranger pour quelques jours.
C'est un de ses dossiers, il lira votre note en rentrant.
Ça ira ? »
Moi, souriant avec, dans l'intention, de la connivence :
« Pas de problème, patron, juste une précision :
dois-je aussi enregistrer, au-delà du temps de classement,
le temps passé à rédiger la note ? »
Zeev me fixe avec attention.
Un imperceptible plissement des yeux.
Et d'une voix égale, presque douce, il me recadre :
« Réservez votre impertinence pour le juge [1],
si vous croyez en avoir à revendre. »

---

1. Produit le plus abouti de l'évolution de l'espèce *Homo juridicus* ; il est à l'avocat ce que l'*Homo sapiens* est à l'homme de Neandertal.

Sur ce, il disparaît dans le couloir.

Celle-là, je l'ai méritée, à mettre de côté pour y repenser.
À présent, il s'agit de se plonger dans le dossier.

Rossetti, barre de fraction, Syndic. Copropr. Rembrandt.
Rafaella Rossetti, c'est notre Cliente.
On écrit Cliente avec un C majuscule.
Drôle de Cliente, qui à titre personnel
peut se payer des avocats d'affaires.
Facturés à l'heure.
Comme elle d'ailleurs,
mais nous sommes bien plus chers qu'une pute.
Du calme, Tom, tu pars dans les décors.
Voyons où est son problème.

Je commence par lire les documents en diagonale.
Ça n'a pas l'air trop grave.
Vu l'adversaire – les propriétaires de l'immeuble –,
il doit y avoir une histoire de proxénétisme hôtelier.

Reclasser toute cette paperasse.
C'est effectivement un bordel, ce dossier.
Je prends des notes au fur et à mesure.

Deux heures plus tard, dossier nickel.
Je lève la tête, Brigitte Merle se matérialise devant moi.
La principale condescend à me parler d'un ton sec :
« Voici un billet d'avion pour Nice, demain matin.
En classe affaires.
Vous accompagnez Maître Rohach.
Une instruction à Grasse. »

Elle pose la pochette sur le coin du bureau.
Dos raide, nuque bloquée.
Cheveux tirés sans mèche rebelle,

tant d'animosité gratuite, juste en posant un papier !
Sans geste hostile, le maintien impeccable.
On lui reconnaîtra une forme de classe, à la sorcière.
Et même de la franchise,
tant elle semble tenir à me signifier,
discrètement, certes, son indéfectible haine.

Elle se retourne, face au couloir.
Me donne le dos. Droite comme un I.
Fessiers serrés dans son tailleur-pantalon.
Elle friserait le ridicule
si son incarnation de Folcoche n'était si vraie.
Je devine son menton légèrement relevé,
et son regard perdu à l'horizon d'un dévouement fanatique,
lorsqu'elle siffle, à mon intention sans doute :
« N'oubliez pas de desssscendre le chien de Maître Rohach.
Avant midi. »
Je réponds :
« Jawohl Frau Blücher. »
(Hennissement de chevaux dans le lointain.)
Mais à voix haute, je me contente d'un plat :
« Bien sûr, Brigitte. »

Il est déjà 11 heures, je décide d'expédier la corvée.
Je prends ma veste et pars à la recherche de la laisse.
Dans le hall d'entrée qui fait office de salle d'attente,
plus d'hôtesse d'accueil,
mais le sourire un peu moqueur de Basha.
Depuis le poste du standard logé dans la borne d'accueil,
l'assistante de Zeev m'observe, la main levée bien haut.
Je saisis la chaînette qu'elle laisse filer d'entre ses doigts.

« Pour Brigitte Merle, la laisse ? » lui soufflé-je.

Il fallait que je tente, c'était plus fort que moi.
J'observe avec espoir sa réaction.
Ni moue de désapprobation, ni froncement de sourcils,
le sourire s'élargit, de moqueur devient complice.
Vas-y, Tommy, c'est bon; ne jamais gâcher une occase :
« Vous déjeunez, dans les cabinets d'avocats?
– Dans la cuisine, en général.
Mais je veux bien descendre avec vous.
À tout à l'heure. Parina prend ma suite à 12 heures.
– Parina, c'est l'hôtesse d'accueil?
– Non, elle est comme moi, assistante.
Elle travaille pour Isabelle Aubier.
La standardiste a un empêchement,
les assistantes se relayent pour la remplacer.
Allez promener le chien, maintenant. »
Son sourire.
Soleil dans le cabinet.

Et je me suis retrouvé à la terrasse du Café Beaubourg,
non comme souvent à pas d'heure avec des fêtards,
mais en plein jour avec une top Danoise.
Joindre l'utile à l'agréable, et tout ce genre de chose.
Plus par bonheur que par calcul,
je lui délivre mon sourire éclatant,
celui du jeune mec sain qui aime la vie
et qui ne se prend pas la tête.
Avec nos lunettes de soleil dans cette journée d'été indien.
Nous faisons un peu vieille pub Benetton.

Nous avons quarante minutes. Je décide de foncer :
« Basha, c'est pas tout à fait danois, ou je me trompe? »
Elle, léger accent, diction fluide, chantante :
« C'est pas danois, et c'est pas mon nom.
Je suis Lisbeth Krogager. Lisbeth.

Mais tu peux m'appeler Basha.
Tout le monde m'appelle comme ça au cabinet.
– Et ça vient d'où, ce surnom ?
– Ça vient de Zeev.
Je te raconterai un jour, c'est une histoire marrante.
– Bon ben moi c'est Thomas Chauveau.
Thomas est mon vrai prénom, mon surnom est Tom.
CV normal, QI normal.
Tout dans ma carcasse est d'origine,
même ma petite anomalie génétique :
tu vois que j'ai les cheveux raides,
eh bien c'est naturel.
(Sourires, gorgées de soda.)
Je suis en train de devenir avocat,
sans avoir été programmé pour.
Si j'avais vraiment voulu choisir,
ça aurait été photographe de pub.
Mais faut vraiment se battre, galérer. Alors bon...
– Mais tu crois que avocat, ça est... plus facile ?
– Oh ça oui.
C'est un métier réservé à 20 000 personnes à Paris.
Forte demande, offre contingentée, ça doit le faire.
– Ça doit faire... quoi ?
– En tout cas du chiffre d'affaires captif,
vous facturez à l'heure. Génial, non ?
J'ai vu la cote Honoraires et Frais du dossier Rossetti.
Tu te rends compte que Dressler se facture 400 euros ?
– Hors taxes. Et alors ?
– Moi, catégorie " junior ", je suis facturé 220 euros !
Je sais rien faire, tu le crois, ça ? 220 euros ?
Ce matin je leur ai rapporté 660 euros.
Le mois prochain, je compte négocier un salaire, crois-moi.
Je leur en ai déjà touché un mot, ils n'ont pas dit non.
– Dis-moi, Tom, tu aimes les films américains ?

– Euh... Oui... Pourquoi tu me demandes ça ?
– Parce que tu vas trop au cinéma.
Ce n'est pas aussi facile que tu crois.
– Tu trouves que j'ai parlé comme un jeune con, hmm ?
– Peut-être que c'est parce que tu *es* un jeune con.
Mais je suis sûre que tu peux apprendre très vite.
– ... Je sais pas comment je dois le prendre.
– Mais tu devrais le prendre sérieusement. »
La claque !
« D'accord. C'est peut-être pas faux, ce que tu dis.
– OK. Tu penses que tu vas t'entendre avec Brigitte ?
– Elle m'a balancé quelques pains de glace,
et envoyé faire pisser le chien – 15 minutes, 55 euros HT.
– Et avec Zeev ?
– Je le préfère à sa gouvernante.
Mais lui aussi m'a bien cassé, sur mon humour.
– Et l'assistante qui te traite de con, pour finir.
– Toi ? Je vais très bien m'entendre avec toi.
– Écoute, Tom.
Au cabinet, tu vas apprendre que tu ne sais rien.
Tu vas découvrir un univers très différent de tes préjugés.
– Tu me fais quoi là, l'Oracle dans la Matrice ?
Dis-moi, tu as quel âge, Lisb... bb... Basha ?
– 29 ans. Cinq ans comme assistante juridique.
Je n'ai pas eu les mêmes facilités que toi.
J'ai eu de la chance de le rencontrer.
– Qui ? Zeev ?
– Oui.
– C'est un si bon patron ?
– En tout cas tu devrais bien l'observer.
Tu veux un exemple ?
– ...
– Regarde... D'abord, Zeev te prend comme stagiaire.
Ensuite, quand tu réclames un salaire, il ne dit pas non.

– Seulement si je travaille bien.
– Ça veut dire qu'il s'attend à ce que tu sois rentable.
– C'est clair.
– Donc il ne va sûrement pas te laisser non-productif.
Il va te donner à faire des choses facturables. Mais quoi ?
Pas des audiences, puisque tu ne peux pas encore plaider.
– Je dois préparer une note dans le dossier Rossetti.
– Comme tu es naïf ! Si Zeev te donne ce dossier,
ce n'est pas pour écrire une note qui sera utile plus tard.
À mon avis, tu as quelque chose à faire dans le dossier...
aujourd'hui.
– Là, Basha... tu m'as scotché.
Y a effectivement quelque chose... ce soir.
– Oui, quoi ? Tu peux me dire, peut-être ?
– J'ai vu une convocation envoyée par le syndic.
La Cliente est conviée à une réunion des copropriétaires.
Elle n'a certainement pas envie d'y aller,
l'ordre du jour, en gros, c'est de la virer de son appart'.
Je comprends maintenant pourquoi
elle a établi un pouvoir au nom d'Éric Dressler.
C'est pour qu'il la représente... à la réunion de ce soir ?
– N'essaie pas de m'inviter ce soir, tu vas être très pris.
On retourne travailler, Tom ? »

The Under Assistant
West Coast Promotion Man

I'm sittin' here thinkin' just how sharp I am

Retour au cabinet.
Reprendre entièrement le dossier Rossetti,
plus comme un touriste, mais comme un pro.
(Ça bosse comment un pro ?)

Les faits de la cause :
Rafaella Rossetti est née en Corse,
célibataire, sans enfants.
Elle a quarante-deux ans, les porte remarquablement bien.
Photo d'une grande brune en toque et manteau de fourrure,
deux dobermans en laisse.
Too much la dégaine,
mais la supermaîtresse est une vraie belle femme.
Elle gagne effectivement sa vie en se prostituant, sans mac.
Propriétaire d'un appartement dédié à l'accueil du public.
Immeuble bourgeois, rue Rembrandt, 8e arrondissement
(acte notarié, règlement de copropriété).
Le prix de la passe est en général de 300 euros
(*cf.* la majorité des crédits portés sur ses relevés CB).
Taxée grave.

J'ai voulu lister les bénéficiaires de ses chèques :
TVA, taxe pro, URSSAF... et puis j'ai laissé tomber.
Fiscalement traitée comme une masseuse free lance.
Elle déclare 91 200 euros de recettes en 2005.
Net annuel après charges et impôt sur le revenu :
31 675 euros.
Frais non déductibles : un peu plus de 10 000 euros.
Bref, elle est censée vivre, elle et ses dobermans,
avec 20 000 euros par an.

J'espère qu'elle fait un max de black,
et si c'est le cas, je suis à fond pour la fraudeuse.

Étirements.
Plaisir d'entrer dans une histoire,
pas un cas pratique, pas un polar, une histoire vraie.

Petit shoot de nicotine ammoniaquée.
Encore du plaisir : se sentir mobilisé.
Lire un dossier de contentieux.
Devenir 100 % raccord avec le délinquant.
Est-ce automatique ?
Est-ce indispensable pour défendre ?
Est-ce nécessaire pour avoir envie de défendre ?

Ce qui est sûr, c'est que j'ai aimé cet instant,
élan de sympathie pour une femme inconnue.
Et j'ai aimé cette pression qui s'installe.

Je saute sur mes pieds.
Pas le front de déranger Zeev,
peut-être Basha pourrait-elle m'aider.
Je rejoins le hall, elle n'y est plus,
remplacée par une autre assistante à la borne d'accueil.

En même temps que moi, Isabelle Aubier se pointe.
L'avocate ne fait aucun cas de ma présence.
Je m'apprête à battre en retraite,
mais ce que je vois m'en dissuade.

Isabelle fond sur l'assistante :
« Parina ! Où sont les microcassettes ? »
Parina en a déjà deux en main, prêtes à l'emploi.
« C'est ce que vous cherchez, Isabelle ?
– Aaah, c'est énervant, votre manie de les stocker. »

Parina s'abstient de répondre.
Isabelle lui arrache les cassettes des mains.
Toute fébrile, elle en insère une dans son dictaphone.
Je la vois fermer les yeux,
calmée d'avoir rechargé l'engin.
Sa main droite se crispe sur l'objet.
Index sur le bouton rouge d'enregistrement.
Elle parle la bouche près du micro intégré.

Dictaphone.
Avocat.
Dictaphone.
Bonjour au petit monolithe noir,
plus essentiel que la robe de même couleur.
Je vais en apprendre l'importance,
sans rapport avec son prix.
Même ses accessoires sont précieux,
piles, microcassettes,
attaches en plastique pour fixer la cassette au dossier.
Demandez à un avocat de prêter son dictaphone.

Maître Aubier inspire profondément.
Elle dicte très vite, d'une voix haute au débit haché,

scandant les mots, tout en déambulant dans le grand hall. Je n'en perds pas une miette.

[red light indicates recorder is on]

« *Parina.*
Urgent urgent.
C'est pour l'audience de demain après-midi
dans le dossier Banque HMV contre je sais plus qui
vous rajouterez le nom du salarié demandeur.
Fax urgent au président du conseil de prud'hommes.
Mettez les coordonnées de l'audience
vérifiez la section et le numéro de chambre.
Monsieur le Président,
virgule à la ligne,
j'ai l'honneur de représenter la Banque HMV
dans l'affaire ci-dessus référencée.
Point à la ligne.
Il se trouve qu'en début d'après-midi
je suis impérativement retenue à la Cour,
virgule,
et pour cette raison ne pourrai me présenter
à votre appel des causes à 13 heures.
Point à la ligne.
Par ailleurs,
virgule,
votre audience étant traditionnellement surchargée,
virgule,
et mon numéro de rôle impliquant que je sois appelée
parmi les tout derniers,
virgule,
je ne tiens pas à faire tapisserie
et vous prie par conséquent de retenir notre affaire pour
17 h 30.

Soulignez 17 h 30,
point à la ligne.
Mon confrère contradicteur est,
virgule,
naturellement,
virgule,
destinataire de la présente en copie.
Point à la ligne.
Formule,
Isabelle Aubier,
vous signez p. o. et faxez ça au plus tard demain matin.
Fin du dossier.
Fin-de-la-casette-fin-de-la-cassette. »

Pichenette. Elle extrait la cassette,
la claque fièrement sur le bureau de l'assistante.

Je suis sûr de ne pas avoir rêvé.
Tapisserie.
Elle a dit au juge qu'elle ne voulait pas faire tapisserie.
Incrédule, je la scrute, elle m'ignore.
Rougeur des joues. Essoufflée.

La voix de Zeev me tire de ma contemplation.
« Thomas, on peut se voir sur le dossier Rossetti ? »
J'émerge, me tourne vers le patron :
« Heu oui, bien sûr, c'est prêt. »

Je me retrouve assis dans son bureau,
Ma perplexité ne lui échappe pas.
« Le stagiaire a un problème ?
– ... Non, j'apprends à utiliser le dictaphone, c'est tout.
– Aah, le dictaphone !
Notre premier outil de travail, et bien plus !

C'est un peu notre objet transitionnel...
– Oui, j'ai vu...
– Vous avez vu Isabelle dicter, c'est ça?
C'est sa façon de remédier au stress.
– Et ce sont tous les avocats qui...
– Tous, tranche Zeev, consciemment ou non.
Certes, nous dictons en *imaginant* qu'il s'agit d'un travail.
Mais notre doudou a une fonction plus essentielle.
Dicter c'est s'épancher, se vider, se défouler.
Nous adorons délayer voluptueusement sur deux pages,
souvent plus, ce qui tiendrait en deux lignes.
Parler, parler, pulsion irrépressible de l'avocat.
Et – prétexte à se bercer de sa propre voix –,
vous l'entendrez développer son propos, préciser sa pensée,
s'expliquer clairement – c'est-à-dire longuement,
enchaîner les *par ailleurs*, *dans ces conditions*, *cela étant...*
en remettre une couche avec des *enfin*, *pour finir*,
en conclusion...
jusqu'à ce que, rasséréné, il jette la cassette à sa secrétaire.
Et comme on évite, la plupart du temps,
de s'attarder sur le produit d'une expectoration,
le bavard n'aura généralement pas de plaisir à se relire.
D'où les fautes de français, contresens, lapsus,
inévitables dans chaque page d'un confrère.
Mais c'est moi qui parle,
alors que c'est à vous de faire un point. »
Je réprime un sourire. Zeev continue :
« OK je vois ce que vous pensez.
Je reconnais que pérorer comme je viens de le faire,
face à un stagiaire intimidé et silencieux,
n'est qu'une autre manière de...
On arrête là. À vous, allez-y. Le dossier Rossetti.
– Je vous rappelle les faits?
– Dites-moi juste s'ils prouvent qu'elle se prostitue.

– Non. Ils n'établissent que le massage relaxation,
selon l'annonce passée dans *Le Nouvel Observateur*,
corroborée par l'enregistrement du message téléphonique,
assez...
– Assez explicite, n'est-ce pas ?
– Sur le body body, oui.
Et c'est le problème. Juridiquement parlant, du moins.
Dès lors qu'elle suggère qu'il va y avoir contact physique...
– Abrégez.
– D'accord... Excusez-moi.
En bref, les copropriétaires veulent faire cesser son activité
Ils convoquent une assemblée générale chez le syndic.
Ce soir à 19 heures. Donc, dans... une heure et demie.
Ils vont voter une action judiciaire et désigner un avocat.
La Cliente a fait un mandat à Ér... Maître Dressler,
qui semble d'accord pour la représenter
si j'en crois ses courriers.
– Mais Éric est en Suisse... »

Nous y voilà. Basha avait raison.
Zeev veut me mettre sur la feuille de match,
à quelques minutes du coup d'envoi.
Je devance l'appel :
« Ben moi je suis à Paris... je veux dire...
J'ai travaillé sur le dossier, je veux être utile,
il n'est pas nécessaire d'avoir prêté serment
pour représenter un client hors du tribunal.
Donc...
– Bonne pioche, Tom.
Vous y allez. Faites de la figuration intelligente.
Appelez-moi sur le portable en sortant. Même tard.
Je fais du commercial ce soir,
je serai à l'extérieur avec Ysé.
Vous me ferez un compte rendu

et je vous confirmerai pour demain.
N'oubliez pas,
nous devons prendre le vol de 10 heures pour Nice.
– D'accord.
Et... pour ce soir, l'assemblée, est-ce qu'on...
– Giclez d'ici, le stagiaire. »

Neighbors

Is it any wonder
That we fuss and fight

Boulevard Malesherbes, vingt minutes avant la réunion.
On ne s'attend pas à ce qu'un avocat soit en avance.
Je vais pouvoir mater la tête des adversaires à leur arrivée.
Capter les vibrations.
Cigarette.
Les cent pas devant l'agence.
Reconnaîtrai-je l'avocat du syndic ?
Il devrait arriver bientôt, selon ses dires.

Je l'ai eu au téléphone tout à l'heure, à la dernière minute.
Je prenais congé de l'équipe en chauffant un peu Basha,
quand la principale nous a interrompus.
Il m'a fallu encaisser, TTC, sa remarque fielleuse :
« Vous n'êtes pas de ceux qui préviennent les confrères ? »

Connasse.
Effectivement, je n'avais pas pensé à appeler.
Je connaissais certes la règle déontologique
(s'assurer que l'adversaire soit assisté d'un confrère)

doublée d'une tradition confraternelle
(prendre ses convenances avant de rejoindre le pré).
Usages charitablement rappelés par cette chère Brigitte.
C'est vrai, je n'avais pas eu le réflexe de les appliquer.
Mais on pouvait relever des circonstances atténuantes :
de stagiaire à avocat, j'avais encore de la marge.
Mon impair était juste le signe évident
que je n'étais pas encore dans le rôle.
Pourquoi m'en tenir rigueur ?

En y repensant, je décrypte la manœuvre.
Si Brigitte n'avait été *que* méchante,
elle aurait pu me laisser oublier d'appeler le confrère,
et m'en faire ensuite le reproche en présence du boss.
Trop tard pour que je puisse corriger, petit crime parfait.
Mais elle était méchante *et* calculatrice.
Donc, au lieu de me laisser commettre l'erreur,
elle m'a dûment alerté, me permettant certes de corriger,
sans l'empêcher de baver,
mais avec un plus grand bénéfice :
non seulement elle prouve que je suis un mauvais,
mais elle souligne, *en plus*, qu'elle m'a rappelé à l'ordre,
confortant ainsi sa position d'ange gardien du boss.
OK, dans les cabinets aussi ça marche comme ça ?
Passer son temps à se pincer dans le panier de crabes ?

J'ai donc mangé mon chapeau,
et appelé les avocats du syndic.
Les ai informés de ma présence à la réunion.

Réaction immédiate :
on allait m'envoyer Marc-Alain Darrieux,
avocat collaborateur de Maître Gruzain,
pour me marquer à la culotte.

C'est donc le gars Marc-Alain que j'attends de pied ferme.
Une toux discrète derrière moi.
Je me retourne.
Une tête de con.
Cravate triste sur costard triste.
Il n'a pourtant pas trente ans,
me dis-je en forçant une grimace.
« Vous êtes Marc-Alain, c'est ça ?
Pardon, maître Darrieux, du cabinet Gruzain ? »
Il hoche la tête solennellement, sans répondre.
Nous nous serrons la main.
Je précise, à tout hasard :
« Thomas Chauveau, du cabinet A&D.
– Vous attendez votre Cliente ?
– Je ne crois pas, non.
Je vous confirme que mon cabinet la représente.
– Vous aurez à montrer un pouvoir au syndic.
Vous comprenez, vous n'êtes pas... pas encore avocat.
– Bon, pourquoi pas... »

Ne pas paraître déstabilisé par la remarque mesquine.
Je le vois périscoper alentour.
Visiblement, il attend le syndic.
Histoire de passer le temps, j'essaie de fraterniser.
Il a deux ans de Barreau,
m'annonce-t-il avec autosatisfaction.
Nous devrions être proches,
par notre commune situation de débutants,
mais un avocat qui totalise 25 ans de Barreau
se croira toujours en situation de conseiller
le jeune confrère qui n'en a que 24.
Alors forcément, Marc-Alain face à un stagiaire...

Histoire de jouer le jeu, je lui avoue être un peu angoissé
par la perspective de plaider, surtout les référés,
audiences ultrarapides où tout se joue en quelques instants.
Il m'explique avec obligeance comment il voit les choses.
Comment il faut s'y prendre pour être performant.
Il a les idées aussi ternes que le costard,
je suis tout sauf impressionné, mais bon,
qui donnerait gratuitement la carte de l'île au Trésor?

Lassé d'attendre, il donne l'ordre de mouvement.
Nous entrons de concert dans l'agence.

Salle de réunion.
Les proprios sont une dizaine,
assis en un cercle approximatif,
même pas BCBG, légèrement puants.
Le syndic est debout, serre des mains.
Entre son assistante, chargée de dossiers.

Et moi, je suis seul.
Mon prof de théâtre disait :
« Une scène de négociation est corporelle
avant d'être intellectuelle. »

Merci Jimbo.
Éviter d'être isolé physiquement dans la scène à venir.
Aussi, dès l'entrée dans la salle, je me colle à Marc-Alain.
Il s'assoit, et je prends place à côté de lui.
Du coup, le syndic est planté.
Il va s'asseoir de l'autre côté du cercle,
pour m'avoir en plein dans son champ de tir;
mais au moins n'ai-je pas les deux en face.
J'ai senti que c'était important,
qu'ils ne soient pas côte à côte.

C'est pas ce qu'on apprend à l'École,
mais bon, l'affrontement seul contre tous,
je vois pas comment l'apprendre en cours.
Sois calme, Tom, et ça ira.
Je le suis. Zen.
À peu près.

Concentration.
Je récapitule mentalement mes objectifs.

Le premier est de prendre des infos.
C'est en fait la seule instruction de Zeev.

Mais je m'en suis fixé deux autres,
pour me tester, mettre du fun dans l'histoire.

Je compte essayer de limiter le mandat de l'avocat.
Car le risque varie selon l'action engagée.
Du moins grave – des dommages et intérêts –
au plus dur – l'expulsion –, il y a une marge pour jouer.

Et j'ai aussi envie de me battre,
pour éviter un vote à l'unanimité.
Pouvoir dire plus tard, au Tribunal,
que tous ne sont pas d'accord.
Si une minorité pense que Rafaella a absolument le droit
de faire ce qu'elle veut chez elle, on pourrait plaider
que la situation n'est pas si insupportable,
et alors... tout deviendrait possible...

Je n'ai pas déliré longtemps,
parce que le syndic a attaqué très fort.
Il l'est, fort, par sa présence physique.
Sanguin, baraqué, tête bovine, petits yeux malins.

Il lit les lettres de réclamation des proprios.
Édifiant de petitesse.
L'auditoire se pâme.

Puis vient le témoignage du vigile privé de l'immeuble
qui, à l'occasion de ses rondes nocturnes,
en aurait vu de belles...
Je suis déjà sur la défensive.
Je sens bien que le syndic a l'oreille de son public.
Et pourtant, quoi de plus nul, plus douteux,
qu'un vigile témoignant pour son propre employeur,
et se prétendant scandalisé par la possibilité d'une pute ?
Eh mec, elle le vole, son pognon ?
Je commence à me sentir nerveux,
mais c'est pas le moment d'intervenir.
Attaquer, dénigrer leur témoin,
ce serait me les mettre à dos.

Je compose, m'adosse confortablement à mon fauteuil,
laisse planer un léger sourire bienveillant sur mon visage,
genre celui que j'offre quand je passe un oral à la fac,
et qu'il faut bien donner le change aux examinateurs.

Je dévisage les femmes de l'assistance.
Visages fermés, message clair.
Ce soir, pour ces honnêtes femmes,
je ne suis pas le charmant étudiant venu babysitter,
et qu'elles apprécient tant que parfois...
Ce soir je suis l'avocat d'une pute,
comment puis-je défendre une salope,
la prostitution est mon fonds de commerce,
je gagne ma vie sur l'argent de ses passes,
j'en profite sans états d'âme,
et bien grassement encore,
je suis pire qu'elle,
je suis... son mac.

Les hommes semblent moins franchement hostiles.
Certes méprisants, mais ils évitent mon regard.
Gênés aux entournures ? Intéressant.
C'est peut-être sur eux que je dois miser.
Après tout, ne sont-ils pas des clients en puissance ?
Je me dis que le bouquet serait qu'ils fréquentent...
Stop, Tom.
S'ils étaient ses clients, Rossetti nous aurait donné l'info.
Et peu importe, finalement. j'ai tendance à penser :
que celui qui ne s'est jamais tapé une pute
me jette le premier slip.
Ils ne sauraient condamner d'un côté pour, de l'autre...
Ça y est. Mon angle est trouvé !
Je vais pouvoir peser sur le scrutin,
en jouant sur l'indulgence des mecs.

De son côté, le syndic achève son clouage au pilori.
L'assistance est à cent pour cent acquise à l'expulsion.
L'envie de se défouler est palpable.
Que le bourreau fasse son office.
On pourrait passer au vote.
Dès maintenant ?
Flottement...
Une sorte de gêne s'installe.
Regard interrogatif du syndic à l'avocat.
Je résiste à l'envie de tourner la tête à droite,
Marc-Alain est à la limite de mon champ de vision,
et je ne veux pas donner – moi aussi –
l'impression d'attendre après lui.

L'avocat fait un geste que je ne capte pas.
Alors le syndic tourne son regard vers moi.
Dans ses yeux une interrogation muette.
Je n'y donne pas suite.
J'ai décidé de la jouer métal froid.

Ne pas, d'autorité, prendre la parole.
Je m'y tiens.
Je fixe posément le syndic,
puis ceux qui sont assis près de lui.
Silencieux, sans ciller, pendant de longues secondes.
Finalement, le syndic est acculé à maugréer :
« Maître ? »

Il a mordu !
Maintenant, surtout, ne pas se précipiter.
Je fronce les sourcils,
montrant que je réfléchis à mon propos.
Puis j'ouvre lentement mon cartable,
pour en extraire le dossier.
Le syndic craque.
« Maître !
Avez-vous quelque chose à dire, peut-être,
avant que nous passions au vote des résolutions ?
– Cher monsieur, puisque vous me donnez la parole,
et si vous m'accordez juste quelques instants,
je vais vous faire part des...
informations que ma Cliente souhaite vous communiquer. »

Content de moi jusque-là, je l'ai chiadée cette phrase.
Je feuillette tranquillement le dossier.
Silence sépulcral.
Allez, on plonge :
« Madame Rossetti exerce une activité libérale
et elle ne s'en cache pas.
Vous savez – je crois –
qu'elle passe des annonces professionnelles
dans *Le Nouvel Observateur*, magazine de qualité s'il en est,
pour faire connaître ses soins de massage relaxation.
Il n'a jamais été question d'autre chose.

J'ai ici les avis d'imposition de cette activité libérale,
ses affiliations aux caisses sociales, ses...
– Mais qu'est-ce que c'est que cette histoire,
m'interrompt l'avocat d'une voix mauvaise.
Vous ne m'avez jamais communiqué ces pièces...
– Et je ne vais pas le faire aujourd'hui non plus...
– Bon, messieurs, s'il vous plaît, coupe le syndic,
vous n'êtes pas au tribunal... »

Mais il ne peut terminer sa mise au point,
son intervention libère la meute.

Une femme, à sa gauche, me lance :
« Vous n'allez quand même pas nier qu'elle se prostitue ? »

Un homme :
« Il y a un va-et-vient de types louches,
à n'importe quelle heure... »

Une femme, la voix haut perchée, légèrement hystérique :
« Maître, avez-vous des enfants ? »

Moi, un peu sur le reculoir :
« Je représente quelqu'un qui, je crois, n'... »

La même, presque en criant :
« Que diriez-vous si en revenant de l'école,
vos enfants devaient prendre l'ascenseur
avec des hommes, n'importe quiiii...
qui fréquentent une prostituée ? »

Un homme :
« Et le code d'accès ? Elle le donne à des inconnus,
on se demande à quoi il sert,
son garde du corps chinois en bas de l'immeuble... »

Brouhaha.
Excitation générale.
Ça a dégénéré en quelques instants.
Le syndic essaie de ramener le calme,
mais l'agressivité se déchaîne à l'unisson.
Ils sont, tous, d'une détermination intimidante.
Ils vont voter, n'importe quoi, le pire,
sans que je puisse rien y changer.

Je suis tenté, l'espace d'une seconde,
par l'idée de laisser filer.
De toute façon, les jeux sont faits,
et la mission se limitait à de la figuration.
Mais il y a eu cette charge haineuse.
Impossible de l'ignorer, de m'écraser.
Envie de me rebeller, de les affronter.
Je repars à l'assaut d'une voix ferme :
« Mesdames, messieurs, je regrette d'insister sur le fait
que rien n'établit une activité de prostitution.
Si vous votez une action au tribunal,
il faudrait penser à sa cohérence,
et de ce que je vois ce soir,
il n'y a rien, rien,
qui puisse prouver quoi que ce soit au juge... »
Marc-Alain m'interrompt :
« Et c'est... quoi...
votre grande expérience personnelle des référés
qui vous permet d'affirmer ça ? »

Ouuuuuutttchhhhh... L'uppercut me percute.

Cet enfoiré d'avocaillon n'a pas hésité
à dévoiler et utiliser, pour me déstabiliser,
les états d'âme que je lui avais confiés.
Naïvement sans doute,
mais sous le sceau de la confidentialité.

Je vois rouge,
mais le syndic ne me laisse pas le temps de récupérer.
Il remercie les avocats de leurs interventions,
manière de nous faire taire.
Puis, dans la foulée,
il met les résolutions aux voix.
Tous votent la désignation de Gruzain, avocat du syndic,
pour représenter la copropriété contre Madame Rossetti.
Mandat, à l'unanimité également,
pour requérir une interdiction d'activité professionnelle
sous astreinte de 1 000 euros par infraction constatée,
et une demande de dommages et intérêts
pour préjudices moral et de jouissance
(même pas drôle).
Et encore :
Mission pour l'avocat de préparer une action en expulsion,
en lapidation, en dératisation, en épuration...
Je suis destroyé, anéanti, fou de rage.

Dans le brouillard, je vois les copropriétaires disparaître,
soudain pressés de quitter la scène de crime.
L'avocat et le syndic se saluent courtoisement.
Je me lève à mon tour, prends congé du syndic.

Je sors de l'agence
sur les talons de ce petit connard de Marc-Alain.
Il se retourne vers moi. Pour me dire bonsoir ?
Je grimace un sourire poli, évalue la distance,
pivote pour mettre le poids voulu dans mon coup de poing,
et je lui en décoche un qui arrive à bon port,
en pleine tête.

Out Of Control

I was out in the city
I was feeling down hearted

Boulevard Haussmann, mercredi soir peu après 20 heures.

Marc-Alain s'est effondré sur le trottoir.
Il lui faudra une trentaine de secondes pour récupérer,
reconnecter son système nerveux, se relever.
L'état de choc subsistera plusieurs minutes.
Bref, une riposte est exclue.
Ippon. Good job.

Je me tire, soulagé, libéré.
Satisfait de la perfection de mon geste,
rasséréné après remise des pendules à l'heure.
À l'avenir, il y regardera à deux fois avant de...

À l'avenir...
Quel avenir ?
Brusquement, je conscientise l'énormité de mon acte.
J'ai explosé la tête d'un avocat,
c'est quoi la suite ?
Me voilà mal barré au Barreau, on peut le dire,

peut-être même viré avant de prêter serment.
L'avenir s'assombrit.

Je marche seul. Madeleine. Place de la Concorde.
Réfléchir, combattre la panique.
Laisser pisser en espérant qu'il s'écrase ?
Prendre les devants ? Pour faire quoi ?
J'arrive à rien.
C'est lui qui a morflé,
c'est moi qui ai de l'eau dans la tête.
Parler. Besoin de. Appeler quelqu'un.

Doumé est le premier nom qui me vient à l'esprit.
Dominique, mon coach, mon prof de thaï-jitsu.
Capable, en entraînement au dojo, les yeux bandés,
de résister à l'assaut coordonné de quatre d'entre nous.
Capable de choses qu'on ne dit pas à l'extérieur.
Notre référence, sur et hors le tatami.

Je le joins sur son mobile, je lui raconte.
Glacial, il analyse techniquement l'assaut.
Conclut à l'absence de risque mortel pour la victime.
Me demande si je regrette.
Je réponds non.
Il me condamne à une mise au ban de trois mois.
Pas d'entraînement, pas de compét', interdit de salle.
Game over. Raté pour le réconfort. Je raccroche.

Saint-Germain ; place de l'Odéon ; je longe le Luxembourg.
Je pense à appeler Shosh, sans oser.
Elle va me reprocher de l'avoir grillée.
Normal, faire ça à un de ses copains,
c'est lourd.
Un de ses copains.

Zeev.
Fuck ! Je l'avais oublié, celui-là.
Il m'avait demandé de l'appeler.
Tu parles d'un débriefing.
J'ai pourri son cabinet.
Tant pis, dring...

Je flippe, lui raconter quoi...
Étrangement, entendre sa voix me remet d'aplomb.
En quelques mots, je décris la réunion.
Puis mon agression, sans la justifier.
Je ne m'excuse pas non plus.
Enfin, un grand bol d'air, et je lâche :
« Bien sûr, maître, ma démission s'impose.
Je regrette d'avoir nui à l'image du cabi... »
Zeev m'interrompt, à voix basse :
« Vous m'avez tout dit ?
– Oui, tout ce qui concerne l'incident.
– Vous allez vous excuser auprès du confrère ?
– Non, c'est lui qui a trahi le premier la confraternité, du moins il me semble.
– Mais vous regrettez vis-à-vis du cabinet ?
– Oui, parce que mon geste risque de vous gêner, et que c'est notre Cliente qui en subira les effets.
– Ce qui revient à dire que votre geste serait, à la fois, justifié à titre personnel et désastreux à titre professionnel ?
– Oui...
– Et qu'allez-vous privilégier à l'avenir ?
– Vous voulez dire que...
– Oui, je refuse votre démission.
Vous ne prenez plus aucune initiative sur cet incident,
Je m'en occuperai avec le patron de votre victime.
À propos, pour demain matin, soyez à 7 h 30 au cabinet.
– Maître, je... je voudrais...

– Je me fiche de ce que vous voudriez.
Vous avez juste de la chance de m'appeler à une heure
où j'ai déjà descendu quelques coupes de champagne.
– Merci, Zeev.
– Giclez de mon portable, stagiaire. »

Je raccroche. Ouf.
Je n'avais pas conscience de tenir tant que ça à ce stage.
Je ne croyais pas non plus pouvoir regretter mon geste.
Et là, dans la nuit, seul sur le trottoir,
je suis bêtement heureux.
Mon boss m'a remonté les bretelles,
mais gardé dans le jeu.

Tilt does not disqualify the player.

Il va m'arranger le coup, j'en suis certain.
Finies, les conneries.
Ce boulet passé près de ma tête me fait réaliser
que j'ai quand même un peu envie de la porter,
la robe noire.

J'ai hâte de m'envoler.
Dans quelques heures.

Going To A Go Go

If you drop in there
You see everyone in town

À Paris, place du Palais-Royal, trône le Smart Bar, nouvel établissement à la mode où s'agglutinent GoGos, BoBos et NoNos [1].

Déclinaison du concept, version agence de com' : lieu festif inédit où se mélangeront des tribus triées sur le volet. Il s'agira de séduire les leaders dans chacune, organiser le buzz avant et après les soirées, donner à chaque membre du troupeau l'importance du chef de meute. Le discours peut paraître creux, la stratégie de lancement banale, mais ça marche.

Tous les signes que, dans l'esprit des concepteurs, le consommateur qualifierait de luxe sont offerts, du voiturier à la table qualifiée d'espace réservé, même sans réservation.

Les hôtesses sont choisies pour leur expertise à un jeu sophistiqué adapté du puéril ni-oui-ni-non : quand on répond à

1. Consommateurs atteints de formes variées de snobisme dans l'acte d'achat. Les BoBos veillent à une utilisation moralement correcte de leur carte de crédit, les GoGos adhèrent aveuglément à la propagande publicitaire, les NoNos privilégient les produits non siglés.

un client du Smart Bar, on garde les oui et on remplace les non par des oui.

À l'intérieur et à toute heure de la nuit sont disponibles tous les journaux, toutes les marques de cigarettes, tous les alcools, avec téléphone portable à volonté.

Chaque soir est présentée une nouvelle carte thématique, suivant un cycle de soixante jours pour autant de cuisines nationales différentes.

À chaque nuit son fond musical, selon un cycle de trente styles représentatifs de la world music, avec disc-jockeys aux platines.

L'ambiance visuelle se veut originale et pointue, succession d'expositions de peintres, sculpteurs, photographes.

Et bien sûr, des événements exceptionnels permanents, concerts, défilés de mode, one-man-shows à peu près comiques, harangues lennybruciennes, interviews exclusives par le public d'un pipole assis sur scène.

Chaque matin, à l'aube, les deux heureux patrons, un ESSEC et un Sciences-Po, dénouent leur cravate, refont l'addition générale : cartes de crédit plus chèques plus espèces. Découvrant le total apparu sur la calculette, ils lèvent leurs verres, comptent jusqu'à trois et dans la salle déserte, crient à l'unisson :

« Elle est pas belle la vie ? »

C'est donc au Smart Bar, entre une Nuit de la pub et la soirée privée de nomination d'un ministre, que débarquent Zeev Rohach et sa collaboratrice Ysé Aboulker, jeunes avocats en mission de représentation pour le cabinet A&D, et en tenue de combat.

Pour elle, ensemble tunique et pantalon en soie noire sans bijou ni accessoires, mise en beauté invisible, longue chevelure noire ébouriffée.

Pour lui, cheveux courts et rasé de frais, veste à col mao en peau sur une sobre chemise blanche, pantalon droit sur mocassins Gérard Senné.

C'est Zeev qui est chargé des cartes de visite. Très peu pour Ysé, qui mourrait plutôt que d'en tendre une. Comme d'habitude, Zeev les a oubliées.

La T48 de Lip, au poignet du garçon, indique 20 heures. Retard décent pour se présenter au portier avec en main le flyer fixant l'heure du cocktail à 19 heures.

On va faire la fête au prétexte du lancement d'une maison d'édition, Pen Guy Publishing, ce que rappellent les affiches gris et rose sur les colonnades du grand lounge. Ce soir convergent et se rencontrent deux univers, le microcosme de l'édition parisienne, et la frange intello de la tribu gay à la recherche d'un nouvel espace vital tant le Marais est devenu galvaudé.

En fin d'après-midi, Zeev avait supplié Ysé :

« Tu connais Wilson Junior ? Oui ? Superclient, non ? C'est sa troisième invite, je ne peux plus éluder. Allez, tu m'accompagnes, pour une fois.

– Un, je suis en jet lag. Totale cassée. Deux, on s'était bien mis d'accord : je ne fais pas de commercial. Trois, je n'y suis pour rien si tu as jeté ses deux premières invites.

– D'accord, Ysé, mais d'un autre côté, je suis censé être ton patron, ce qui ne m'a pas empêché de suivre tes dossiers perso en ton absence. Vrai ou faux ? Emmerdements max, rentabilité zéro...

– Pfff...

– Ysé, demande-moi ce que tu veux...

– Je te demande d'y aller avec... tiens, Carole, pourquoi pas ?

– Ahh, ce que tu peux être coquette. Tu veux que je dise que tu es cent fois mieux qu'elle ?

– Non ! Non. Sauf si tu as des intentions particulières pour après la soirée...

– C'est cela, rêve.
– Je plaisantais, boss.
– Non, tu tentais.
– Zeev, est-ce que tu m'aiderais, demain, dans mon dossier contre l'Opéra ?
– Demain dans la journée je suis au TGI de Grasse, pour une instruction. Et en début de soirée je serai au Conseil de l'Ordre, à Paris, pour une emmerde.
– Alors après-demain matin ?
– Why not...
– Alors c'est d'accord... Je veux dire d'accord je viens avec toi au Smart Bar, et je rentre seule après. »

Wilson Junior, le Client, les accueille personnellement à l'entrée. Ils entrent dans la danse. Ysé a arraché à Zeev la promesse de ne pas dépasser soixante minutes.

Une grande inspiration, et ils se jettent dans la mêlée. Trop de monde. Musique un peu trop forte. Peu importe. Serrer des mains. Reconnaître X, affecter de reconnaître Y. Zeev approvisionne sa collaboratrice en champagne, tout en négociant des apartés avec Z. Ysé joue le jeu, avec aisance et naturel. À dire vrai, elle rayonne.

Zeev s'amuse à vérifier l'impact de la jeune avocate sur ses interlocuteurs. D'abord physique. Une fine liane de 176 centimètres. Croisement de beauté italienne et de grâce kabyle. Le teint à la fois mat et éclatant. Une chevelure corbeau jamais domestiquée, même avant de plaider. Les lèvres pleines, préservées du sacrilège antiécologique d'une coloration cosmétique. Cette fille est une pub.

Seul détail dissident : l'intensité du regard. Alerte ! Celle-là pourrait être autre chose qu'un ornement pour papier glacé. Et l'avertissement devient alerte rouge lorsqu'elle se met à parler. Alors tout autour, la gêne s'installe. Des garçons peuvent être dérangés dans leur vision du monde, des filles dans leur notion de la justice. Elle a appris à faire avec.

Zeev observe que c'est encore le cas ce soir. Ysé veut seulement jouer le jeu, prêter main forte à son patron et ami dans ces petites joutes oratoires sans autre conséquence que servir la communication du cabinet. Elle reconnaît un éditeur qui pérore avec d'autant plus de plaisir que Zeev le traite avec une courtoisie placide à la limite de l'effronterie. Mais l'éditeur n'a pas de limites dans l'expression. Il use et abuse de sa situation de Client. Ysé est fière de sentir que son partenaire, loin de s'aplatir, conserve dans le regard une infinitésimale lueur d'amusement que l'autre, suffisant, prend pour du bonheur de conversation. Elle finit par voler à la rescousse de son coéquipier. Met son grain de sel, trois mots sur le nouveau phénomène d'édition Nataf à mettre au crédit de son éditrice, puisque, après tout, c'est bien Odile Jacob qui l'a découvert, n'est-ce pas ; et invinciblement, elle capte l'attention.

Sourire en coin de Zeev. Elle s'applique à ne pas commettre d'erreur, à ne dévoiler son ennui à qui que ce soit d'autre qu'à lui. Il disparaît dans la foule pendant qu'elle occupe le Client. Dès que possible, elle battra elle aussi en retraite. Traînera près de l'expo photos. Reprendra une coupe de champagne. Inévitablement, un inconnu surgira, qu'elle éconduira en rejoignant son partenaire.

Évolutions et circonvolutions. Elle le voit en grande conversation avec deux jeunes femmes. Pas mal. Elle s'approche, il s'interrompt, fait de chaleureuses présentations. Elle flashe sur l'un des deux noms, qui lui rappelle... eh oui, c'est celui d'une prestigieuse journaliste de la presse écrite. Ysé parle, juste trois mots gentils sur l'orientation générale de la rubrique dans laquelle sévit la star, et boum ! Regards obliques, les deux filles ont sorti les défenses antiaériennes. S'en amuser, toujours. S'éclipser, dès que possible. Regretter parfois de ne pouvoir parler de tout ça. Et comment en parler sans paraître indécente.

Et puis à quoi bon ? Quand il a fallu choisir, elle a choisi. Avocate. Fidèle à son vœu d'adolescente. Réussir avec sa tête plutôt que grâce à son corps. Et pourtant aujourd'hui, ce sentiment diffus que trop souvent, ça marche bien grâce à autre chose que sa tête.

Zeev est le seul à qui elle ose se confier. Ça le fait rigoler, il dit : « C'est bien que tu te prennes la tête avec ce genre d'angoisses, ça t'oblige à surbosser. » Elle, ça l'énerve cette psychologie à deux balles. Et ça l'énerve encore plus de reconnaître qu'il a raison. 21 heures. Elle termine son verre et alerte Zeev :

« Tu as vu l'heure ?

– Non mais j'ai soif.

– On s'en va, Zeev.

– Non, on danse.

– Danser ? !

– Why not ?

– Sois sérieux deux secondes. Tu as encore besoin de moi ?

– Ben oui, je vais pas danser tout s... »

Zeev est interrompu par la sonnerie de son portable. Il consulte le cadran bleuté.

« C'est le nouveau stagiaire, tu sais, le Thomas pistonné par ma copine Shosh. Excuse-moi deux minutes, c'est moi qui lui ai demandé d'appeler. Oui, Thomas ?

– ...

– Vous m'avez tout dit ?

– ...

– Vous n'avez pas l'intention de vous excuser auprès du confrère ?

(Zeev fait un clin d'œil à Ysé.)

– ...

– Mais vous regrettez vis-à-vis du cabinet ?

– ... »

Ysé n'écoute plus. L'entraînement des jeunes recrues l'intéresse autant que le commercial. Heureusement, l'échange est de courte durée, et bientôt elle entend l'avocat conclure par son traditionnel :

« Giclez de mon portable, stagiaire. »

Pensif, Zeev vide sa coupe. Il prend la main d'Ysé, l'entraîne vers la piste de danse. *C'était pas une blague, il veut vraiment qu'on danse ensemble !*

D'abord ahurie par l'idée d'un avocat qui se déhanche au milieu de prospects et de clients, puis curieuse de voir jusqu'où va aller son patron, qu'elle n'aurait jamais imaginé aussi peu sérieux, elle se laisse aller sur le mix pure Puerto Rico qui fait bouger, sur un même rythme, la calvitie du directeur de collection et la perruque platine du drag-queen.

Le cocktail se transforme en soirée dansante. L'heure tourne. Les deux avocats finissent par s'installer sur un canapé, espace « cosy for two », à l'écart du bruit et de la foule.

« Dis-moi, là, tu kiffes ou tu travailles ? questionne Ysé, à mi-chemin entre ironie et rancœur.

– Les deux, répond prudemment Zeev.

– Pff... Moi j'ai la tête qui tourne.

– En tout cas merci.

– Zeeeevvv... tu m'expliqueras comment tu fais pour préparer deux audiences en passant la nuit au Smart Bar ?

– Oui, je t'expliquerai un jour.

– Et là tout de suite, tu peux au moins me parler de celle du conseil de l'ordre ?

– Laisse tomber... un piège à rats où je vais me faire écharper.

– Bon, si tu te fais étaler, la sanction ira grossir ton dossier disciplinaire, ça n'est pas plus grave que ça.

– No problem. C'est ce qui restera de mon œuvre quand je prendrai ma retraite. Les générations futures liront mon dossier, toutes ces sanctions contre moi pour avoir attaqué là où il ne fallait pas, et tous ces croche-pattes, admonestations, les “ cette lettre sera versée à votre dossier ”. Ce sont mes petites médailles.

– Je vois, tu es dans le trip le bon avocat est un rebelle, donc le bon avocat est celui qui se fait sanctionner par l'Ordre... Encore une petite coupe ?

– ...

– T'es vexé ?

– Ouais...

– T'es mignonne quand tu boudes, Zeev...

– OK, tu as gagné, tu as cassé l'ambiance. On se tire ?

– On se tire, mais arrête ton cinéma. Tu t'en fais pour demain. Je me trompe ? Suis-moi, je connais le chemin. »

Elle l'emmène au bar. Le dernier verre, debout devant le zinc rutilant. Les plafonniers s'éteignent. Dans la pénombre, leurs regards se croisent. Les riffs de deux violons envahissent brusquement l'espace. Au fond du bar, sur la scène, les musiciens du groupe Les Yeux Noirs. Mélodies tziganes sur rythmique binaire. Et ils n'oublient pas de s'adresser aux cerveaux, proclamant ici leur soutien à Act Up, là leur inspiration baudelairienne, si sincères, si politiquement corrects. Forcément, il est sublime, le groupe culte qui fait tanguer le Smart Bar.

Zeev et Ysé s'en fichent, ils ont décroché. Les yeux dans les yeux, verrouillage. L'alcool aidant, leurs regards renoncent à filtrer la vérité. La musique s'estompe. Elle s'approche de lui, tout près. Sa main droite s'écarte, qui tient la coupe de champagne. Sa main gauche agrippe le col de la chemise blanche, elle tire, tire Zeev vers elle, jusqu'à ce qu'il s'incline. Leurs visages sont si proches que les yeux se brouillent, leurs nez se frôlent, leurs lèvres hésitent. Elle penche la tête de côté, tire encore, sa bouche parvient enfin à l'oreille du garçon, elle chuchote :

« Zeevi, tant qu'on bossera ensemble, ça ne se fera pas entre nous. Sache que je le regrette.

– Qu'est-ce que tu dis ? » Il s'écarte et se touche l'oreille, pour montrer que le murmure n'a pas été capté.

« Rien, crie-t-elle, tu m'énerves, on se barre ! »

Flight 505

I sat here in my seat
Feeling like a king

Tôt levés, Zeev et moi dans une berline, direction Orly.
Au volant, Eddie, le chauffeur coursier du cabinet,
qui semble bien jeune dans son blazer croisé bleu nuit.
Si le bon pilotage n'attend pas le nombre des années,
Eddie fait allégrement mentir le dicton.
Ça roule et ça tangue sur les suspensions.
Pas grave, le V8 ronronronne.

J'ai du mal à réaliser.
Me voilà à me la jouer VIP,
derrière la vitre fumée d'une grosse Audi.
Clin d'œil mental aux cinq stars de Zina Rock,
qui nous matent depuis une affiche géante
barrée d'un fier « complet ».

Eddie nous dépose à l'aéroport.
Embarquement, comme dit Brigitte,
en classe affaires.
Take off dans 15 minutes,

que Zeev met à profit pour appeler le cab
et me faire noter le numéro de Gruzain,
le patron du cloporte à qui j'ai mis un pain.
Il le compose et me fait signe de me taire.
Bien que tronqué, le dialogue me colle au siège.

« Allô, Zeev Rohach,
pour son confrère Gruzain.
...
Oui Gruzain, comment vas-tu ?
...
Exact, ça fait quatre ans.
Normal, nous évoluons sur des planètes différentes,
n'est-ce pas ?
...
Je t'appelle pour régler un petit incident.
Tu as un collab' qui s'appelle Marc-Alain Darrieux ?
...
Mon associé Éric Dressler l'a en face
dans un dossier... pour vous... Copropriété Rembrandt...
...
C'est ça, ton syndic l'a convoqué pour hier soir.
Dressler représente une des propriétaires.
Il s'est fait substituer par un stagiaire.
...
Oui, bien sûr, c'est une prostituée,
ce que tu ne me feras avouer qu'entre confrères,
et – toujours entre nous – c'est aussi une belle cochonne.
...
(Rire de Zeev, que je jurerais forcé.)
Demande à Dressler pour plus de détails.
J'en viens à notre petit problème.
Le stagiaire est devant moi,
il a le visage un peu chiffonné.

Pour être clair, il a... hmm... de ce que je vois,
il a visiblement pris un coup sur la pommette.
(Zeev a les yeux fermés, la tête renversée en arrière.)
Il semble que nos petits gars se soient un peu énervés
après la réunion.
Ils en sont venus aux mains...
...
Selon le mien,
le tien aurait proféré des injures racistes et...
...
Je sais, Jean-Georges, je sais, ne t'énerve pas,
je ne suis pour rien dans l'image négative de ton cabinet
que certains ont propagée pendant l'affaire des FANE...
...
Je te répète que ça m'est strictement égal.
Écoute, si tu pouvais intervenir pour calmer
ton collaborateur, je pourrais assurer au mien
que les prochaines interventions se feront
dans un climat plus serein.
...
Très bien, je considère que l'incident est clos.
(Zeev rouvre les yeux, redresse la tête.)
Pour finir, je ne te demande pas
si un rapprochement est possible entre nos Clients ?
...
C'est bien ce que je pensais.
Nous croiserons donc le fer,
puisque je crois comprendre
que le syndic va assigner ma Cliente.
...
Non, c'est Dressler qui plaidera.
Allez bonne journée, confrère !
... »

Zeev coupe la communication.
La tension se dissipe.
Des instructions de sauvetage glissent des haut-parleurs,
une hôtesse s'exerce à l'expression corporelle.
Ceintures bouclées, écrans vidéo éteints,
Zeev daigne enfin m'expliquer.
À voix basse, les yeux perdus au-delà de là :
« C'était ma première année de Barreau.
Il y a... huit ans. Déjà huit ans...
Mon maître de stage se fichait bien de savoir
si je me dépatouillais ou non
avec mes dossiers d'aide judiciaire.
J'ai fait face tout seul à ma première désignation.
Un surendettement de particulier, pas de quoi somatiser.
Le pauvre justiciable m'a rendu visite chez mon patron.
La fenêtre de mon bureau donnait sur la rue.
Je l'ai vu garer un 4 × 4 rutilant.
Officiellement, il était au RMI.
J'ai décidé de ne pas le recevoir,
et lui ai fait dire que je ne le défendrais pas.
Il s'est plaint à l'Ordre.
L'Ordre m'écrit.
Je ne réponds pas.
Là-dessus arrive une deuxième désignation.
Un homme poursuivi pour coups et blessures.
Cette fois-ci, je reçois le pauvre justiciable.
Il m'expose le litige :
il avait décidé d'aller chercher son enfant à l'école.
Divorcé, il ne parle plus à son ex-femme.
Mais il aperçoit celle-ci devant l'entrée de l'école.
Il aurait alors rebroussé chemin.
Entendant un cri, il se serait retourné,
pour voir sa femme glisser du trottoir
et se retrouver allongée dans le caniveau.

Je lui dis : « Monsieur, vous sortez de mon bureau. »
Il se plaint, lui aussi, à l'Ordre.
Cette fois, l'Ordre me convoque.
Je m'y rends et justifie mes refus.
L'insolvable qui roule dans une voiture à 400 000 francs.
Le type qui bat sa femme et qui se paie ma tête.
Un sympathique membre du Conseil de l'Ordre
me conseille gentiment de regarder les choses
avec un peu plus de recul sauf à risquer une sanction,
un nouveau refus pouvant être perçu comme
la manifestation d'une obstruction de principe
à une de nos obligations essentielles.
Je ne me suis pas trop formalisé.
C'était juste un carton jaune.
Il me suffisait d'assurer lors de la prochaine désignation.
(Zeev s'interrompt pour saisir un plateau de petit déjeuner.)
Alors est arrivée ma troisième désignation.
Cette fois-ci, par un appel téléphonique.
Un ancien para, ou légionnaire, je ne sais plus.
La voix d'un homme âgé, un discours fruste.
Poursuivi pour incitation à la haine raciale,
en sa qualité, si l'on peut dire, de directeur de publication
d'une revue des Faisceaux nationalistes européens.
Des néonazis croisés deux ou trois fois devant la fac.
Vous connaissez ? »

Je ne réponds pas.
Nous tendons nos tasses pour un café.
Pause petit déjeuner.
Zeev reprend, comme s'il n'y avait pas eu d'interruption :
« Le type, le para, est évidemment un prête-nom,
bien incapable de diriger une publication.
Je le fais parler, histoire de gagner du temps.
Que faire ? Défendre des néonazis ? Moi ? Absurde.

D'un autre côté, je suis un peu coincé par l'Ordre.
Peut-être pourrais-je l'assister en correctionnelle
en plaidant son imbécillité absolue ?
Voire sa déficience mentale ?
Plaider son irresponsabilité pénale ?
Le faire soigner en institution psychiatrique ?
Non, c'est injouable.
Je lui dis : " Vous connaissez mon nom,
je vais avoir du mal à défendre vos idées ",
il me répond que je suis le cinquième avocat à refuser,
qu'il n'en a rien à foutre de mon nom.
Je lui dis que je débute,
que je n'ai jamais plaidé en correctionnelle,
il me répond que c'est pas grave,
vu que les juifs sont intelligents.
Je lui dis : vous voulez dire malins ?
Il ne répond rien,
je suis à un cheveu de raccrocher,
mais une dernière idée surgit et me sauve :
Jean-Georges Gruzain !
Cet horrible faf que j'ai côtoyé à l'École,
je pourrais lui refiler cette commission d'office,
je serais libéré sans problème vis-à-vis de l'Ordre,
le facho serait correctement défendu – c'est son droit –,
et Gruzain serait tout content de patauger dans cette boue.
Je mets ce plan à exécution.
Et ça marche. »

Gruzain.
Je commence à capter que loin d'être hasardeux,
les tours et détours du récit s'orientent
dans une direction bien maîtrisée.
Je fais discrètement resservir du café
et continue, avec application, à me taire.

Zeev poursuit en souriant à ses souvenirs :
« Sur ce, peu de temps après, dans une soirée,
je raconte l'histoire du soldat perdu.
Pas perdu pour tout le monde.
Une des amies présentes est journaliste.
Une petite pigiste qui démarre.
Le truc la branche.
Personne ne lui a rien demandé,
mais elle décide d'utiliser l'info pour enquêter.
Elle couvre le procès, fait un boulot assez bon.
Surtout, elle décrypte la défense de Gruzain.
Elle est écœurée par la stratégie de l'avocat.
Le type qui plaide le fond de la poubelle.
Aussi, quand son reportage est publié,
le pauvre Gruzain se retrouve habillé pour l'hiver.
Les réputations se font vite au Palais.
Depuis, il pue un peu la *m* trois petits points. »
Zeev s'interrompt, je le relance :
« Gruzain a fait le lien entre l'article et vous ?
– Possible.
Le lien fatal c'est Shosh,
oui, Tom, votre grande sœur,
que je fréquentais à l'époque de l'École.
Et Gruzain était dans ma promo.
Il a pu la rencontrer à une de nos soirées.
Et si c'est le cas, je suis coupable de bien peu,
seulement d'avoir un peu trop raconté ma vie
à ma bande de copains, un soir de gaieté.
Shosh n'a pas laissé passer l'occasion,
et elle a eu bien raison.
– Je comprends pourquoi vous avez mis en scène
une insulte raciste en l'appelant tout à l'heure.
En laissant se développer mon incident,
il risque de vous voir appuyer sur son point sensible,

sur sa réputation sulfureuse,
à laquelle vous n'êtes pas étranger,
de son point de vue en tout cas.
– Vous désapprouvez ?
– Euh... je dois dire que...
– Vous préféreriez assumer votre geste,
et solder tout ça par un duel, peut-être ?
– ...
– Écoutez, le stagiaire, si j'avais pu intervenir franchement,
je l'aurais fait, mais à votre avis,
si je n'avais pas arrangé la réalité,
qu'auraient fait les confrères en face ?
– Ils auraient pu porter plainte à l'Ordre, peut-être aussi...
– Ahh... porter plainte ? coupe Zeev, amusé de la réponse.
Et pourquoi donc ?
– Parce que j'ai un peu giflé...
– À la bonne heure...
C'est exactement ce qu'aurait fait ce cafard de Gruzain.
Vous attaquer devant l'Ordre.
Grave, pour un candidat à l'inscription.
Peut-être même définitif.
Mais dites-moi, est-ce bien loyal ?
– Il profite de ce que j'ai pété les plombs.
– Exact ! C'est le mot ! Il profite !
Mais s'il était loyal, que devrait-il faire ?
Ne devrait-il pas, au lieu de vous attaquer,
admonester son jeune collaborateur
pour s'être montré anticonfraternel ?
– ... Vu comme ça.
– Eh oui, les grands mots, la déontologie, la confraternité.
Choses vraiment primordiales, jeune homme.
Pourquoi ? Parce qu'elles signent le style d'un avocat.
Mais il faut être bien niais pour jouer dans les règles
face à quelqu'un qui n'en a rien à faire.

Cela étant, je ne tiens pas à ce que mon cabinet
soit réputé pour employer des ceintures noires,
tenez-vous-le pour dit.
L'incident est clos.
– Zzz... Mmm... Zeev, s'il vous plaît...
Une seule question sur cet incident. Une seule.
(Zeev acquiesce d'un air las.)
Pourquoi n'avez-vous pas accepté ma démission hier soir ?
Je suis remplaçable dans l'heure.
J'ai foiré de manière inacceptable.
Je ne c...
– Notre Cliente, répond-il soudain joyeux.
Hier au téléphone, vous avez dit *notre* Cliente
en parlant de la cliente de Dressler.
Et en le disant, vous sembliez réellement concerné.
Malgré ce que vous croyez peut-être,
un avocat qui se soucie de ses clients,
ça ne se remplace pas dans l'heure.
Point barre.
– ...
– Bon, à mon tour de vous poser une question indiscrète.
Une seule, comme vous dites. Je peux ?
– Bien sûr.
– Ne le prenez pas mal, mais puisque je connais Shosh,
et qu'elle est votre sœur, je me demandais...
– Pourquoi nous ne sommes pas de la même couleur ?
– Je reconnais que c'est indiscret.
– On m'a déjà posé la question, vous savez ?
– Je m'en doute.
– Un homme blanc et une femme noire,
ça donne parfois du café au lait.
Ce qui explique ma couleur.
L'homme blanc, c'est notre père.
Shosh est en fait ma demi-sœur.

– Elle ne me parlait pas de vous.
– Il y a huit ans, je ne vivais pas avec la famille.
Mais nous sommes restés proches, grâce à l'e-mail.
Vous savez, j'ai trouvé que votre histoire, là, à Gruzain,
était vraiment crédible compte tenu de mon teint noisette.
– Vous m'en voulez pour ça ?
– Franchement ?
– Franchement, insiste Zeev.
– C'était franchement bon ! »

Nous avons ri de bon cœur.
Je clin d'œil l'hôtesse. Re-re-café.
Maître Rohach extrait de son cartable le dossier du jour.
Il se plonge, semble-t-il avec délices,
dans la masse de papiers.
Pas l'impression qu'il ait besoin de moi.
J'ouvre *Libé* à la page Société.
Les avocats impliqués dans les faits divers
y sont souvent cités, ou photographiés.
Bientôt, les pages du journal me tombent des mains.
Je m'imagine plaider.
Je mets minable le Gruzain.
Foule de journalistes derrière moi.
Je sors Rossetti des griffes des flics et des juges.
À la sortie,
les journalistes me demandent de garder la robe.
Caméras, micros, questions en cascade.
Je réponds, les traits tirés de fatigue.
Sobriété, modestie, je n'ai fait que mon boulot.
J'ai démontré que le dossier est vide.
On ne condamne pas une femme sans preuve,
et je mets au passage une patate, intellectuelle cette fois,
au confrère qui défend les préjugés les plus éculés.
Shosh écrit un article bien virulent, me cite longuement.

Retour au cabinet.
Appel de la Cliente qui me remercie encore, chaleureusement et sans ambiguïté.
Fin-du-dossier-fin-du-dossier.

C'est bon.
C'est très bon.

J'atterris.

Back To Zero

That's where we're heading

De l'aéroport de Nice,
on ne se rend pas à Grasse, on y monte.
Arrivés à Grasse,
nous montons jusqu'au nouveau tribunal,
où l'on nous fait monter dans les étages.

Madame le juge d'instruction va arriver tantôt,
selon la greffière qui nous fait passer dans le bureau.
Une grande pièce aux fenêtres ouvertes sur l'extérieur,
d'où un soleil aveuglant, peu impressionné par l'automne,
darde des rais poussiéreux sur les meubles et les murs.

La greffière nous fait un brin de causette,
puis nous prie de l'excuser,
seule au greffe cette semaine, elle doit aller vaquer.
Du bureau contigu, elle laisse la porte ouverte,
façon de nous tenir compagnie pendant l'attente.

Zeev me tend un Post-it :
« Règle n° 389 : aimez les greffières. »

OK boss, si vous le dites.
Il m'en tend un autre :
« Règle n° 390 : dites-le-leur. »
Je le regarde, perplexe. Il reste imperturbable.
C'est bien ça, il se fiche de moi.

Nous nous asseyons face à un grand bureau en bois,
derrière lequel un fauteuil brun patiente, comme nous.
Nous avions rendez-vous à 14 heures, bientôt la demie.
Silence. Lumière. De l'extérieur, un souffle de vent chaud.
Zeev s'est absorbé dans ses pensées.
Pourquoi m'a-t-il emmené ?
Je n'ai eu droit qu'à un résumé,
à bord de la voiture de location.

Info générique :
c'est un dossier de droit pénal économique.
Ça commence bien, j'y connais moins que rien.
Trop tard pour regretter les impasses.

Deuxième info, identité du Client : Simon Gerber.
Nous représentons l'heureux propriétaire d'un bon business,
une chaîne régionale de magasins d'audio vidéo
spécialisée dans le haut de gamme.

Ensuite, le litige :
un concurrent déloyal contourne les règles d'importation,
présente une ligne de produits plus étendue et moins chère,
et ses produits, asiatiques, sont étiquetés Union européenne.
Il encourt la correctionnelle.

Lieu de commission des délits :
Nice et la Côte d'Azur.

La procédure :
nous avons déposé une plainte pénale,
une juge d'instruction a été désignée.

Le problème :
plus d'un an après le dépôt de la plainte,
l'instruction est au point mort.
Et notre Client commence à s'impatienter.
Encore un excité !

Notre objectif du jour : activer l'instruction.
Pour l'heure, dans ce bureau vide,
nous n'activons que nos méninges.
Comment ça se débrouille, un avocat,
pour *activer une instruction* ?
Je suis aux premières loges pour le découvrir.

Trois heures moins le quart : du bruit dans l'escalier.
Nous nous redressons sur nos sièges. La juge ?
Tout s'accélère brusquement dans ma tête.
Souvenirs du cours de procédure pénale.

C'est quoi un juge d'instruction ?
Un magistrat qui instruit à charge et à décharge.
En français : il enquête, s'aide de la police,
réunit des éléments pour et contre les suspects.
S'il pense que des présomptions sérieuses existent
que telle personne a commis une infraction pénale,
il a le devoir de la déférer pour qu'elle soit jugée
devant le Tribunal ou la Cour d'assises.
Il peut aussi mettre le suspect en prison,
avant même qu'il ne soit jugé,
superpouvoir à n'utiliser qu'exceptionnellement.
En fait, il s'en sert pour faire pression sur le suspect,

ou pire pour se donner du temps (!),
un temps qu'il juge nécessaire pour traiter le dossier
avec un suspect d'autant plus ramolli qu'il aura passé
des jours, des semaines, ou des mois, dans les oubliettes.
Terrible pouvoir du juge d'instruction.
Pouvoir qui le rend terrible.

La juge fait son entrée.
La démarche souple, les cheveux lâchés,
un grand sac de tennis en bandoulière.
On lui donnerait facilement 25 balais,
total look crocodile, maillot short baskets.
Bronzage intense, caramel.
Elle nous contourne pour accéder à son fauteuil,
passe à quelques centimètres de ma tête,
je remarque le duvet doré sur ses bras nus.
Elle pivote, nous fait face. Saine, gaie, sourire radieux.
Aucun signe marquant la solennité de sa fonction.

Son bonjour, asséné avec entrain, réveille la pièce.
« Maître Rohach ? »
Elle nous regarde alternativement.
Pas d'accent provençal, le pointu du nord.

« Madame le juge. »
Zeev s'interrompt une seconde et demie,
le temps de voir si la main du juge va ou non se tendre.
C'est non.
Elle assure.
Par cette infime réserve, elle a marqué son territoire.
Zeev se trouve cantonné à son état d'auxiliaire de justice,
subordonné à l'imperium du magistrat.

Il reprend la parole et me présente.
« Maître Thomas Chauveau, élève avocat.
Il poursuit son stage à mon cabinet. »

Je hoche la tête, salut déférent à la juge.
Elle me regarde avec... je dirais, de la bienveillance.
Mais là encore, naturelle,
juste bien disposée envers un inconnu
qu'on lui présente comme un apprenti venu s'instruire.
Je soutiens son regard, stricte neutralité professionnelle.
Fin de ses trois secondes d'audit; elle revient sur Zeev.
À compter de cet instant, je deviendrai transparent.
Eh oui, l'inexistence est le lot de l'avocat collaborateur.

Elle poursuit la procédure d'échanges civils :
« Vous voudrez bien excuser mon retard,
je m'étais organisée pour vous accueillir à l'heure,
sans prévoir que je pourrais faiblir dans le dernier set.
Avez-vous fait bon voyage?
– Un bon voyage, sans histoire, madame le juge.
Je ne connaissais pas votre tribunal,
installé dans un site impressionnant.
Vous avez une vue majestueuse.
– Oui, il est bien évident que,
comparés à la brigade financière à Paris,
nous travaillons dans une atmosphère très différente. »

À ces mots, l'avocat fixe avec insistance la juge.
Elle soutient sans ciller le regard de Zeev,
et dans son regard à elle passe...
quoi?
un défi?
une interrogation?
Je ne comprends rien à leur échange muet.
Si. Je crois que si.
C'est « atmosphère très différente »
qui les fait tilter ensemble.
Y a des problèmes d'atmosphère
dans les tribunaux provençaux?

Quoi qu'il en soit, c'est la fin des préliminaires.
Je sens que Zeev va passer à l'attaque.
Nous arrivons enfin au pic de la journée,
la raison d'être de nos 2 000 kilomètres en avion.

Zeev se lance :
« Je me suis permis de vous demander audience...
– Maître, coupe la juge,
nous ne tenons pas audience aujourd'hui.
Je vous reçois à titre informel ;
notez l'absence de ma greffière.
– Bien entendu, madame le juge. En fait, ma requête était motivée,
d'une part, par mon souhait de vous présenter le dossier,
car je n'ai pas encore eu l'avantage de pouvoir le faire,
mais aussi parce qu'après une première phase d'instruction
qui a duré au moins plusieurs semaines
(plus de 50 semaines, il m'éclate avec ses litotes),
il serait bienvenu que nous permettions au plaignant
d'avoir connaissance de l'état d'avancement de l'enquête,
serait-ce... approximativement.
– Nous sommes convenus, maître,
de ne pas nous placer dans un cadre formel,
et je suis par ailleurs encline à penser
qu'aucun de nous trois n'a envie de perdre son temps.
Donc, je ne vais pas feindre d'écouter votre présentation
d'un dossier que je connais déjà assez bien,
croyez-le ou non.
Je ne vais pas non plus vous infliger le délayage
de mes quelques actes d'instruction dans cette affaire.
La journée est splendide.
Vous pouvez disposer de votre après-midi
pour profiter de notre coin de Provence.
Je vais donc être brève...
(ce que disant, elle suspend son discours).

– J'apprécie que vous soyez aussi directe, approuve Zeev.
– Bien. J'ai quelque chose à vous montrer. »

Elle se lève, contourne son bureau,
passe derrière notre dos.
S'arrête devant une armoire métallique ; l'ouvre.
D'épais dossiers dorment côte à côte sur les rayonnages.
Elle désigne du doigt une grosse chemise cartonnée
ensevelie sous une pile impressionnante.
Et puis elle donne le coup de grâce :
« Vous voyez ce dossier rouge bordeaux ? Il dort.
Il va dormir encore longtemps.
Il dormira peut-être encore
le jour de ma future mutation,
dans une autre région, je l'espère.
Un jour à l'avenir, dans ce dossier,
on constatera une prescription.
Je n'y puis pas grand-chose.
Je peux bien sûr le mettre au-dessus de la pile.
Je ne le fais pas parce que même si je le faisais,
ça conduirait finalement à un non-lieu ou à une relaxe,
ce que je ne souhaite pas nécessairement.
L'atmosphère provençale est effectivement différente,
mon cher maître.
Certains prétendent que l'air y est pur, odorant, fleuri.
Sachez en profiter.
Je vous raccompagne ? »

Je sens Zeev un peu sonné.
Nous quittons le tribunal,
après avoir pris congé de la greffière.

Une fois dehors, le boss me fait signe de l'accompagner,
une courte promenade avant de remonter en voiture.
Le choc s'estompe, il conclut à mon intention :

« Le Client m'avait dit que l'adversaire était intouchable ;
Légion d'honneur, bien introduit dans le milieu local.
Peut-être soutenu à un niveau politique.
Je crois que la petite juge nous l'a bien confirmé.
Cette procédure est morte, mon cher stagiaire.
Il nous reste à gagner le dossier autrement.
Dès notre retour,
vous en parlerez à Johnny.
– Johnny ?
– Jean-Philippe Micoli.
Mon associé pénaliste.
Il est assez bon.
Et nous allons avoir besoin de lui. »

J'ai enregistré. En clair :
c'est pas une petite juge d'instruction qui va nous faire baisser les bras.

« Thomas ?
Je parie que vous aimez faire du shopping.
Prenez le volant, direction Nice.
Nous allons rendre visite, incognito, à l'intouchable. »

Paint It Black

It's not easy facin' up
when your whole world is black

De Grasse à Nice, on ne se rend pas à, on descend sur.

Je pilote, et pour sortir Zeev de sa rêverie,
romps le silence :
« J'ignorais que vous aviez un associé nommé Johnny...
– Associé de la firme, précise le patron du bout des lèvres.
– Oui, bien sûr, les cinq noms en haut du papier à en-tête.
– Il est vrai que je n'ai pas eu le temps
de vous présenter le cabinet.
Fondé en 2001, par Isabelle Aubier et Éric Dressler.
Nous faisons du droit des affaires.
Rien de bien original. »

Je m'applique à négocier un serpentin de virages.
Esterel, le soleil surexpose le paysage.
Zeev baisse la vitre, respire ; il se décide à me raconter,
sans autre préoccupation que de faire la conversation.

« Isabelle et Éric ont exercé plusieurs années
dans les mêmes locaux, partageant les moyens,

avant de décider de s'associer vraiment.
Quand ils ont créé la société anonyme Aubier et Dressler,
ils ont offert au collaborateur d'Éric une participation.
– Ange Navale, le troisième de la liste ?
– Exact. Ange est de ma promo,
et de notre bande, avec Johnny.
Il n'avait que trois ans de Barreau,
il a sauté sur l'opportunité.
Un an plus tard,
le trio recherchait déjà de nouveaux associés.
Il faut dire qu'Isabelle Aubier a un vrai talent
pour apporter de gros dossiers,
et des clients à la fois importants et solvables.
Pour ne rien vous cacher,
là est le secret de la réussite du cabinet.
– C'est là que vous les avez rejoints ?
– Exact. Johnny et moi, chacun de son côté,
avons débuté par deux ans de collaboration.
En 2000, nous nous sommes lancés dans le grand bain.
Deux ans d'association, c'était pas mal,
mais encore balbutiant.
Ange a parlé de nous à Dressler.
Et ils nous ont fait une offre.
– Et comment ont-ils déterminé leur choix ?
– C'est sûrement qu'Ange nous a bien vendus !
– Mais encore ?
– Ils étaient trois avocats d'affaires.
Johnny leur apportait le pénal,
et moi, qui tiens à rester généraliste,
tout le reste, le civil, tout et rien d'une certaine manière.
– Pourtant aujourd'hui,
vous vous occupez d'une affaire pénale.
– Oui, parce que c'est un petit dossier.
Le Client est de la famille de l'ami d'un ami,

vous voyez comment ça vient, les clients...
Bref, vous intégrez une firme qui compte
deux associés principaux et trois minoritaires.
46 personnes y travaillent, y compris les stagiaires.
Depuis 2002, chaque trimestre,
nous intégrons un nouveau collaborateur.
Vous faites partie des cinq stagiaires de l'EFB
parmi lesquels figure le prochain avocat à recruter.
Nous choisirons fin décembre.
– Très honoré. Mais si je puis me permettre...
– Vous allez me dire que vous n'êtes pas candidat ?
– ...
– Personne n'attend après vous, jeune homme.
Je vous ai simplement expliqué nos procédures.
Une offre sera faite au meilleur des cinq stagiaires.
Pour l'instant, vous avez une bonne note en sport.
L'élu peut refuser, ce qui n'est encore jamais arrivé.
Nous offrons une rétrocession plus que décente.
– En tout cas, j'ai l'intention de faire de mon mieux.
– C'est bien ce que j'avais cru comprendre.
– Je prends la promenade des Anglais ?
– Prenez. Je vous indiquerai ensuite. »

Arrivée au centre-ville aux alentours de 16 heures.
Parking du centre commercial Nice-Étoile.
Zeev localise le vaisseau amiral de Premium Côte d'Azur,
la chaîne de magasins de Monsieur Gerber.
Nous entrons dans une belle boutique
arborant l'enseigne PRECA.
Flânerie dans les rayons.
Un vendeur finit par nous aborder.
Zeev se fait expliquer les caractéristiques techniques
de quelques produits de référence. Il note les prix.
Donne le change en achetant un minilecteur DVD.

Nous ressortons à pied sur l'avenue Jean-Médecin.
Remontons jusqu'à la place de la Libération.
Zeev s'arrête devant une poubelle,
Y dépose le sac PRECA et le packaging du lecteur DVD,
lequel est discrètement glissé dans son cartable.

Traversée de la place.
Nous nous arrêtons devant une boutique originale.
Une ancienne boulangerie,
dont la façade Arts déco a été conservée.
Enseigne modeste derrière la vitrine :
« Le meilleur du Home Cinema ».
Zeev reproduit son manège.
Mais fort des points techniques recueillis chez PRECA,
il donne l'impression de s'y connaître.
Il note les prix,
tout en demandant des infos sur les marques.
Matériel français ou européen, lui garantit le vendeur,
avec une moue admirative destinée à valoriser ce Client
qui sait ce que le mot qualité veut dire.
« La meilleure qualité, au meilleur prix,
sur toute la région »,
récite le kakou en cravate et portable autour du cou.

À nouveau, Zeev achète un minilecteur DVD,
et nous rebroussons chemin, direction la voiture.
Mon instruction est de « filer » à l'aéroport.
Filer, bien sûr. 45 minutes avant l'embarquement.
J'essaie de jouer du volant dans l'embouteillage niçois.
Bloqué par un bus de la TNL.
Traversez Nice Lentement ?
Le boss consulte ses notes :
« 40 % de différence, relève-t-il.
Le Client a du souci à se faire. »

Rentabiliser le temps.
Zeev appelle le Client pour rendre compte.
Un interlocuteur apparemment volubile raconte, raconte.
« Hospitalisé, résume Zeev en raccrochant.
– C'est grave ?
– Si l'on imagine que la courbe de santé d'un entrepreneur suit celle de sa trésorerie, alors oui, ça doit être grave.
– Pauvre homme, la juge devrait être informée de tout ça.
– Ce n'est pas son problème.
Pas le nôtre non plus.
Nous sommes en bonne santé, n'est-ce pas ?
Vous voyez ce que je veux dire ?
– Vous parlez de la trésorerie du cabinet ?
– Non, vous ne voyez pas.
Je veux dire que le problème de mon Client
est son problème, pas le mien.
– C'est une leçon, ou une conjuration ?
– Eh, pas mal, pour un boxeur !
Je vous énonce la règle n° 2 du métier :
préserver sa santé mentale.
Autrement dit,
ne pas se projeter dans les malheurs du Client.
Sinon, vous êtes fichu.
Cloisonner est un impératif salutaire.
– D'accord. Je l'ai compris, la nuit dernière.
Et puisque nous y sommes, quelle est la règle n° 1 ?
– Vous le saurez en temps utile.
Maintenant vous allez gicler de cet embouteillage, stagiaire.
Prenez la prochaine à droite. »

Gimme Shelter

If I don't get some shelter
I'm gonna fade away

Retour à Paris.
Go, go,
au volant de l'Audi,
Eddie est bon.

Il doit avoir ses heures.

Au bas de l'immeuble de la rue du Renard,
je remarque le manège des futurs collègues qui se croisent.
Speedés, ces meufs en tailleur, ces keums en costard.
Vite. Vite. Toujours faire vite, marcher vite.
Je sais comme tout le monde que l'avocat est pressé,
mais dans le fond, pourquoi cette urgence ?
Envie de les tirer par la manche :
Hé vous... vous courez où ?

Mais surtout je découvre une curieuse manie,
un tic de comportement que je ne soupçonnais pas.
Ce besoin irrépressible, presque attendrissant,
de « repasser au »,

« repasser par le »... cabinet,
quitte à perdre de ce temps de travail si précieux.

Lien mystérieux entre l'Avocat et son Cab.
L'avocat carbure à l'énergie, et pas qu'un peu.
Il lui faut revenir à la base pour faire le plein.
Recharger les accus entre deux missions.
Se poser, se lâcher, souffler, débriefer.
S'enquérir des appels en réception,
s'angoisser s'il y en a trop,
s'effondrer s'il y en a peu,
s'énerver si trop de chieurs,
s'exciter si nouveau Client,
s'éluder si c'est perso.

Prendre un break dans le rush,
croquer une pomme ou une barre de céréales,
boire un verre d'eau ou d'alcool fort,
parcourir le *Bulletin du bâtonnier* [1].

Maître Rohach ne résiste pas, il remonte au cabinet.
Il en ressort cinq minutes plus tard, la robe sous le bras,
pour comparaître devant le Conseil de l'Ordre des avocats.
Il n'a pas souhaité m'inviter à assister à son procès.

Armé de son déguisement noir mais sans rapière,
mon maître a jailli, à fond de train, de son repaire.
Me voilà Bernardo, désœuvré dans l'hacienda.

Je me secoue en voyant Basha ranger ses affaires.
Brancher la jolie Danoise, t'as mieux à faire ?
J'attaque avec mes gros sabots :

---

1. Brochure d'autopromo que tous les avocats reçoivent puisqu'ils y sont obligatoirement abonnés.

« Hé, Basha, tu fais quoi là bientôt ?
– Tu vois, je m'en vais.
– Ben moi j'attends le retour du patron.
T'as le temps de prendre un pot ?
– Tak tak. Ciao, Thomas ! Peut-être à demain ? »

C'est pas dans la poche, elle doit être en main.
Keep in touch, on a trois mois pour y arriver.

Rien de mieux à faire, travaillons.
Je dois voir Johnny pour PRECA,
je l'appelle par l'interne, m'identifie.
Une voix grave, jeune, éraillée.
Jean-Philippe Micoli m'invite à le rejoindre.

La porte de son bureau est grande ouverte.
J'entends une voix de femme. Isabelle Aubier ?
Je découvre, de dos, une femme assise.
C'est bien elle, face à son associé.

Depuis le fauteuil du Maître, un trentenaire, fumeur,
m'accueille.
Un visage carré, fatigué,
à la peau tavelée de petits cratères.
Une chevelure désordonnée, un regard clair, mélancolique.
Sans cérémonie, il me désigne le deuxième siège visiteur.
« Tu es d'accord sur la stratégie ? demande-t-il à Isabelle.
– Si tu es sûr de toi, répond-elle.
– En tout cas, la remise en liberté est exclue.
– Tu me diras quand, sur nos chances ?
– Le dossier est costaud, Delphine est déjà dessus.
S'il y a le moindre vice de procédure, nous le trouverons.
– C'est bon à entendre. Je compte sur toi.
– T'en fais pas.
Oui, le stagiaire ? »

Johnny se tourne vers moi.
Isabelle se lève, si peu intéressée par mon existence
qu'elle se borne à saluer discrètement son associé.

Je me concentre sur mon interlocuteur :
« C'est pour le dossier PRECA, vous connaissez ?
– Non.
– Le Client de Maître Rohach s'appelle Gerber.
Nous sommes au pénal contre un concurrent,
Jacques-Henri Vallée, un discounter. »
Je sens Isabelle Aubier s'arrêter à la porte.
« Vous dites ? m'interroge-t-elle.
– Un vendeur de produits à prix cassés, si vous préférez.
– Le nom, le nom de l'adversaire ? s'impatiente-t-elle.
– Jacques-Henri Vallée. Un monsieur qui...
– Où se trouve Zeev ? me coupe Isabelle.
– Au Conseil de l'Ordre, il va rentrer, mais peut-être tard.
– Qu'il m'appelle dès qu'il arrive demain matin.
– Très bien.
– Un problème ? demande Johnny.
– Pas grand-chose, lui répond Isabelle d'une voix glaciale,
ton ami est seulement en train de poursuivre en justice
un de mes Clients. »

Je suis scié. Comment ça peut arriver, ce genre d'impair ?
En plus, Johnny reste stoïque, pas l'air de se formaliser.
Alors qu'Isabelle disparaît, il poursuit tranquillement :
« Vous vous appelez Thomas, c'est ça ?
– Appelez-moi Tom.
– Moi c'est Johnny, en interne.
Ce que je vous propose, Tom,
c'est de remettre tout ça à demain.
J'ai la vague impression que vos instructions vont évoluer.
De toute façon, pour ce soir,

j'ai un rendez-vous à l'extérieur,
que je ne peux différer parce que,
malgré ce qui se passe ici,
ce rendez-vous est de la plus haute importance.
– Bien. (Je me lève.) Bon courage... Johnny. »

Je quitte le bureau.
Et quitte le cabinet, perplexe.
Il fait nuit, Johnny est encore sur la brèche.
Ces avocats qui ne débranchent jamais...

Who's Been Sleeping Here

I want to know

Le lendemain matin, 8 h 40.

« Où suis-je ? » est la première question qui vient à l'esprit de Johnny lorsqu'un radio-réveil inconnu le fait émerger d'une nuit cent raves. Première décision à prendre, s'or-ga-ni-ser : ouvrir les yeux, ou se lever ? Ouvrir les yeux d'abord. Plafond inconnu. Maintenant, se dresser sur les coudes. Quelque chose entreprend de caresser sa joue. Une main ? Ce serait la preuve qu'il n'est pas seul sous la couette. Malgré sa migraine, il résiste à l'envie de ruer dans les brancards, de repousser l'énervante caresse. Gueule de bois ou non, il ne claquera pas la dame avec qui il vient peut-être de passer la nuit, il n'en est pas encore là. Il tourne la tête, son regard remonte de la main au long bras, suit la courbe de l'épaule et s'arrête sur un visage gracieux.

« Qui est-ce ? » est la deuxième question. Deux grands yeux clairs le fixent. Alcoolisé mais lucide, Johnny décide d'y lire de la bienveillance plutôt que de la reconnaissance. La fille s'étire silencieusement. Ses bras décrivent deux arabesques et viennent l'enlacer. Le visage se niche au creux de son épaule. Des boucles brunes agacent son cou, sa chaleur irradie son flanc droit. Il tourne la tête à gauche : 8 heures et 43 minutes brillent discrètement en vert sur la table de nuit.

« Qu'est-ce qu'elle m'a foutu ce matin, Basha ? » est la troisième question, qui marque le retour de l'avocat à l'essentiel : l'agenda. Johnny vient de se réincarner en Maître Micoli, un des pénalistes les plus doués de sa génération. Si le fêtard a les cheveux qui tirent, le cerveau lent et la langue lourde, l'avocat ne loupera jamais une audience, ni même une visite en prison. Entrer dans un prétoire le dessaoulera instantanément. Et pour ce qui est de la prison, y arriver après quelques pétards n'est jamais très préjudiciable à la qualité de son écoute ; en fait, ce serait plutôt l'inverse. Et d'ailleurs, parfois pété mais toujours cohérent, ne lui arrive-t-il pas, avant de quitter le parloir, de laisser à son Client un petit dérivatif dans du papier alu ?

Conscience professionnelle, déontologie, éthique personnelle, mal de tête...

Sans mot dire, il se dégage doucement de l'étreinte, pose à tout hasard un bref baiser sur l'épaule nue, s'efforce de traverser la pièce sans tituber. Succès mitigé. Consolation : la station debout lui fait retrouver quelque capacité de déduction. « J'suis à poil... donc... Il y a eu fornication, Monsieur le Président, car dans le cas contraire, le Sieur Micoli – mézigue –, sous l'emprise de boissons alcooliques fortement titrées, se serait endormi tout habillé. »

Rassembler les vêtements épars, se diriger vers la salle de bains du studio en évitant de croiser le regard de la propriétaire.

La douche dissipe quelques nuages, sans apporter de réponse à la deuxième question qui reste en suspens : Elle s'appelle... ?

C'est en saisissant la moelleuse serviette de bain marine que Johnny trouve son salut, sous la forme d'une broderie dessinant en lettres blanches : *Sonia Moretti...*

Réflexe : avant de crier victoire, s'assurer que ce n'est pas la marque de la serviette, mais bien une griffe personnelle. Cette attention aux plus infimes détails lui a fait gagner des dizaines de dossiers pourris. « Et puis quand on a des trous de mémoire comme les miens, vaut mieux être vigilant. Bon ben là, c'est OK, et en plus, c'est sûrement une *pays. Bella Sonia, la ultima ragazza!* »

Tout baigne. Il fait une entrée décidée dans la chambre, mimant le jeune lawyer plein d'allant, impatient de remonter au front pour une nouvelle journée de batailles judiciaires.

« Excuse, Sonia, j'suis déjà à la bourre. » Et il dépose un baiser d'au revoir sur le front de sa conquête.

« Mmmmhm.... Tu repars défendre les méchants, maître ?

– Tout juste, les gentils ça paie moins. J'te laisse une carte sur le fauteuil, promets-moi de m'appeler...

– Mmm... ça je ne sais pas...

– Oh siiii... Belle Sonia, promets... !

– On verra. Qui sait ? »

Sourire contre clin d'œil, Johnny est déjà à la porte.

« J'suis vraiment une enflure », se dit-il en tirant sur la poignée... Il s'immobilise brusquement : à l'extérieur de la porte d'entrée grande ouverte, juste au-dessous de l'œil de verre, il lit et relit, sur la plaquette de bois nervuré : *Agnès Moretti*.

Mais avant qu'il ait pu se retourner, la voix d'Agnès lui parvient du fond de la couette :

« Sonia, c'est ma sœur. Elle m'a laissé ses affaires avant de partir au Mexique... Dis, tu veux bien refermer la porte en partant, tu fais courant d'air ! »

Sister Morphine

What am I doing in this place ?

Troisième jour de stage.
9 heures pile, je salue Ysé, Basha et Zeev.
La journée débute par un briefing de l'équipe.
Le patron est affûté, précis, directif.
Point sur les actions de la veille,
évaluation et traitement des urgences,
répartition des tâches sur les prochaines 24 heures.
Dix minutes suffisent, et la réunion est levée.

Resté seul avec Zeev, je rapporte l'incident d'hier soir.
Il fronce les sourcils, lève son téléphone, inutilement.
Isabelle fait irruption dans le bureau, sans s'annoncer.
« Bonjour Zeev, ouvre-t-elle sombrement, tu vas bien ?
– Je viens d'apprendre que tu voulais me voir, sourit Zeev.
– Moi j'ai appris que tu étais contre Jacques-Henri Vallée, dans un dossier...
– PRECA. Assieds-toi. Tu veux un café ? »
Isabelle ignore l'invitation.
« Sais-tu qui est Jacques-Henri Vallée ?
– Absolument pas. »

Une légère rougeur apparaît sur le visage de l'avocate.
Là est peut-être sa seule faiblesse,
rougir à tout bout de champ.
Elle s'assoit, pose un coude sur le bureau.
Son poing fermé vient soutenir son menton.
Elle fixe Zeev et reprend :
« Bon. Je répète ma question...
– Inutile, Isabelle, je t'ai répondu.
PRECA a déposé une plainte contre X.
Donc, procéduralement, Vallée est un tiers.
Par ailleurs, j'ai cru comprendre que toi, tu le connaissais.
Mais il ne figure pas sur notre liste de Clients.
Donc, je ne le connais absolument pas.
– FINHOLD, tu connais ?
– Oui, c'est ton plus gros client.
– Tu veux dire le plus gros client du cabinet.
– C'est vrai.
– Vallée est un des administrateurs de la filiale française.
– Non ?
– Si.
– Tu es sûre ? C'est le même ?
– Oui. Il vit à Nice.
Il y dirige un certain nombre de sociétés.
– Et les magasins PREMIUM, concurrents de PRECA
appartiennent à FINHOLD ?
– Oui. FINHOLD en est l'actionnaire principal.
– Oh merde...
– Comme tu dis.
– Je vais demander un café. Tu en veux un ? »
Isabelle s'adosse à son siège, croise les bras.
« Ce que je veux, Zeev,
et je m'étonne que tu ne le proposes pas,
c'est que ton dossier sorte du cabinet ce matin même.

– Tom ? Pourriez-vous demander à Charlotte
de m'apporter un café ? »

Le boss vient de signifier courtoisement au stagiaire
que les conflits entre avocats associés
ne font pas partie de sa formation.
Je referme soigneusement la porte du bureau derrière moi.

Rien d'autre à faire que relancer Johnny.
Son poste ne répond pas ; explication de Basha :
Johnny n'est jamais joignable le matin.

Je passe la tête dans le bureau de sa collaboratrice.
« Bonjour, vaillante Delphine, je peux... ?
– Salut, Thomas. Je t'en prie. »

Elle me fait signe d'entrer.
Franc sourire plein de grandes dents.
Décontractée en polo sportswear vert d'eau,
des yeux assortis, encadrés par des boucles auburn.
Cette fille est une pub pour Vittel.
Je cancane :
« Ça chauffe chez Zeev,
Isabelle veut lui faire sauter un Client.
– Ah oui ? répond Delphine sans se départir de son sourire,
eh bien, tu peux considérer que c'est fait.
– Hou là. Sévère la mère Aubier.
Je paierais cher pour voir ça.
Il arrive bientôt, ton boss ?
– Oui. Il devait avoir un rendez-vous à l'extérieur.
– Avant 9 heures ? Il n'arrête pas. Déjà hier soir,
je l'ai quitté à 19 heures,
il avait encore une réunion devant lui.
– Disons plutôt : son rendez-vous a commencé hier soir
et il a du mal à le terminer.

– Ah d'accord, je vois. Hmm, je te dérange ?
– Penses-tu, je suis en train d'essayer de gagner ma vie. »

Elle me montre un dossier de 50 centimètres de haut.
« Ça a l'air sérieux. Je peux t'aider, en attendant ?
– Tu vois ça ?
C'est le premier gros dossier qu'on me confie...
Le Client est en préventive depuis des semaines.
Il est le représentant légal de huit sociétés de transport établies dans l'ouest de l'Union européenne.
– Fraude fiscale ?
– Non. Peut-être un réseau de distribution de drogue, importée via les Pays-Bas.
S'il passe en jugement, il est cuit.
Je dois trouver un vice de procédure pour le faire sortir.
– Et... Si tu réussis ?
– Il sort. C'est tout.
– Il disparaît ?
– Qu'est-ce que tu crois ? C'est sa seule chance !
– ...
– Tu te poses des questions, Tom ?
– Moi ? Aucune. Et toi ? »
Long soupir de Delphine.
« Moi si, avoue-t-elle.
– Quel genre de questions ?
– J'ai fait du droit du sport.
J'ai essayé d'intégrer un cabinet spécialisé.
Huit mois de galère, rien trouvé.
J'ai fini ici, comme tu le vois,
à m'occuper d'une forme particulière de dopage.
– T'es arrivée comment ici ?
– Grâce à Marie et Gaëlle, qui travaillent pour Isabelle.
Comme le cabinet recrute en permanence,
elles m'ont branchée sur Éric Dressler.
J'ai été reçue par lui, Isabelle et Zeev.

Je n'ai pas été retenue chez Éric,
ne demande pas pourquoi,
je ne comprends rien aux critères de choix des avocats.
Toujours est-il que Zeev m'a retenue et adressée à Johnny.
Pourquoi Zeev m'a choisie, je n'en sais rien.
Pourquoi Johnny m'a engagée, même chose.
Mais maintenant, faut que je fasse avec.
Gros pénal au lieu de haute compétition.
– C'est donc vraiment pas de gaieté de cœur
que tu t'occupes de sortir un bel enfoiré ?
– Mais ma parole, t'es choqué ou quoi ?
Tu n'aimes pas le pénal ?
– Ouais enfin, j'aime... oui, j'aime.
Mais de là à se mettre au service des trafiquants de drogue.
C'est bien payé, au moins ? Et au black, n'est-ce pas ? »
Delphine se marre.
« Tu me fais quoi, là ?
Le fantasme de la grosse valise pleine de billets ?
Nous sommes payés par virements bancaires.
Importants ? Oui, j'ai du mal à m'habituer.
– OK, et bosser pour les trafiquants, tu t'habitues ?
– Très bien. Johnny m'a décontractée.
– Ah ouais, et comment on fait pour te... décontracter ?
– On m'explique que je suis à ma place
en faisant ce boulot.
– Vas-y, explique, parce que je pourrais te dire,
en toute bonne foi
qu'en faisant libérer ce type haut placé dans le réseau,
tu participes finalement à son entreprise criminelle.
Que si dans trois mois des gosses overdosent
du côté de la porte d'Aubervilliers,
tu en seras peut-être un peu responsable.
– Eh ben justement, non...
L'avocat a sa place, dans le système judiciaire.

Et cette place, du point de vue de Johnny,
c'est le combat pour la liberté de chacun.
– Waouh !
– L'idée c'est que les avocats tels que Johnny se battent pour que les libertés individuelles soient effectives.
Chaque fois qu'ils obtiennent qu'un texte de loi,
qui limite par exemple l'emprisonnement d'un citoyen,
s'applique correctement à leur Client, innocent ou coupable,
ils améliorent la liberté individuelle de chacun de nous.
– Si je comprends bien,
peu importe que le dealer reste impuni,
ton boulot, c'est d'organiser légalement son évasion,
et si tu y parviens,
chaque Français doit t'applaudir
parce que tu as travaillé dans son intérêt.
– C'est à peu près ça.
Bon, je dois bosser.
Tu t'y connais en procédure pénale ? »

Je décide de l'aider.
Sans arrière-pensée,
elle n'est pas mon genre,
pas envie de partir avec elle faire de la voile aux Glénans.
Je la vois bien vice-présidente d'une association caritative,
elle doit avoir un agenda plein d'activités sport et nature,
bref, totale bookée sur les dix-huit prochains mois.

Nous regardons ensemble la doc.
Je n'ai aucune idée de ce qu'il faut chercher,
comment organiser la lecture de centaines de feuilles,
qu'inventer et par où commencer.
Delphine n'a pas l'air plus sciencée.

Bonheur, je suis sauvé par le gong.
La voix rauque de tabac de Johnny se fait entendre.

Il paraît sur le seuil du bureau.
« Bonjour, Delphine. Je vous vois tout à l'heure.
Bonjour, Thomas... vous rejoignez mon équipe ?
– Bonjour. À propos de PRECA...
– Suivez-moi. »

Johnny va s'affaler dans son bureau.
Basha nous suit, avec sur un plateau
un verre d'eau, des pilules, un café.
Elle s'éclipse quelques secondes,
revient déposer une feuille volante.
Je distingue la photocopie d'un agenda.
Les deux sont restés complètement muets.

Je me tais.
Johnny fait la gueule.
Deux, trois minutes passent.
J'ai l'impression de prendre racine.

À nouveau Basha, qui dépose un exemplaire de *Libé*.
Lueur d'éveil dans l'œil de l'avocat.
Il feuillette, les minutes passent.
Enfin, nez dans le journal, il parle :
« Vous voulez faire du pénal, hein ?
– Oui. Du moins, c'est ce qui est le plus passionnant...
de l'extérieur.
– Vous me sortez un de mes dossiers.
En retour je vous sortirai PRECA... ou FINHOLD peut-être.
Que nous soyons d'un côté ou de l'autre,
ça ne change rien pour moi.
Ça vous va ?
– Oui...
– Bien. Vous êtes capable de sortir le dossier Streiff ?
Carte blanche,
vous y mettez le temps qu'il faut.

– Streiff, c'est le dossier de Delphine ?
– Oui, le réseau de distribution.
– De drogue ? Euh... je ne pense pas pouvoir...
– Au-dessus de vos compétences ?
– Je pourrais être plus utile
sur quelque chose de plus simple,
un dossier où je serais capable d'aller au bout ?
– C'est bien dommage,
c'est le plus gros de mes dossiers,
Delphine et vous ne seriez pas de trop.
Bon, qu'est-ce que je peux vous donner ?
Tiens ! Le plus petit de mes dossiers.
Demandez à Basha le dossier Motta.
Viol d'enfant,
correctionnalisé faute de preuves suffisantes.
Nous sommes pour la partie civile,
la mère de l'enfant.
Vous allez à l'instruction faire la synthèse du dossier,
et regardez ce qu'on peut tirer sur la solvabilité du violeur.
Ça, vous acceptez ?
– Oui.
– Alors le point en fin de semaine.
Si vous avez un problème, voyez Zeev.
– OK OK, j'ai compris,
maintenant je gicle de votre bureau,
et je m'y mets tout de suite. »

Johnny est déjà retourné à sa lecture.
Moi je retourne à mon cagibi.
Putain, un viol d'enfant.
Il appelle ça un petit dossier.
Et de l'autre côté, comme si de rien n'était,
deux associés qui se fritent pour une affaire de merde.
C'est quoi exactement, l'échelle des valeurs,
dans une firme d'avocats ?

Short And Curlies

It's too bad, it's so sad
She's got you by the balls

Zeev a attendu que Tom referme la porte pour répondre à son associée.

« Désolé, Isabelle. Tu disais ? Ah oui. Évidemment, nous allons nous dessaisir tous les deux de ces dossiers. C'est malheureusement la règl...

– Tu ne m'as pas comprise. *Tu* vas rendre *ton* dossier.

– Et toi ?

– Moi, FINHOLD est mon plus gros client.

– Et alors ?

– Tu veux un dessin ? C'est 25 % de mon chiffre d'affaires, et plus de 15 % de tout le cabinet. Et ce n'est pas tout. FINHOLD est le seul client facturé 500 euros.

– Ah oui, ça me revient. Ta fameuse convention d'honoraires exceptionnelle.

– Oui, signée par le confrère suisse, Antonio Hagen, qui représente le groupe en Europe. Depuis un an, j'ai ouvert une douzaine de dossiers, avec 50 heures de provision sur chacun ; 25 000 euros par dossier. Tu vois où je veux en venir ?

– Oui, douze dossiers, 300 000 euros. Tu ne tiens pas à les rembourser.

– Parce que toi, tu y tiens ?
– Oui.
– Ça ne me fait pas rire.
– Je peux t'expliquer ma...
– Je n'ai pas fini. FINHOLD m'a été apporté par le ministre.
– Brisson ? Il est secrétaire d'État.
– Brisson est stratégique pour nous. C'est un quadra, il sera ministre dans moins d'un an si Sarkozy est élu, et à défaut, nommé à la tête d'un grand groupe.
– Tu as fini ?
– Oui et je n'ai pas l'intention de t'écouter ou de négocier.
– Eh bien dans ces conditions, nous sommes en désaccord.
– En désaccord ? Et tu as l'intention de faire quoi ? Te plaindre au bâtonnier parce que je garde mon Client ?
– Non, Isabelle, le bâtonnier ne me permettra pas de garder mon Client. Mais puisque tu ne veux pas m'écouter, tu accepteras peut-être d'écouter Éric. Tu permets que je l'appelle ?
– Appelle le pape si tu veux. »

Éric est invité à les rejoindre en urgence. Malgré l'hostilité désormais silencieuse d'Isabelle, Zeev estime avoir marqué un point : elle n'a pas claqué la porte. Éric fait son entrée, en bras de chemise, l'air renfrogné, le regard iceberg, et cent trente kilos dissuasifs : on ne le dérange pas pour rien, sauf à en subir les conséquences. Associés compris. Il ne perd pas son temps en salutations :

« Dites, les enfants, je prépare un closing [1] pour 14 heures. J'espère que vous n'en avez pas pour longtemps.
– Peux-tu t'asseoir cinq minutes ? » demande Zeev.

---

1. Ultime séance de négociation réunissant deux soupirants qui vont signer un partenariat commercial ; le principe du business est qu'ils deviennent adversaires dès que l'encre est sèche. Le rôle des avocats est donc de préparer la guerre en rédigeant les contrats.

Isabelle s'absorbe dans la contemplation du tableau derrière la tête de Zeev, bras croisés, sans chercher à masquer la crispation de son visage. Éric connaît sa partenaire. Elle est à un stade très proche de la fureur. Il va encore devoir jouer les démineurs. Il se tourne vers Zeev :

« Que se passe-t-il ?

– En résumé : j'ai un Client qui porte plainte contre X à Grasse. Un concurrent déloyal est en train de le faire couler. J'apprends ce matin, un an après le début de l'instruction, que l'adversaire est un certain Jacques-Henri Vallée, qui d'après Isabelle est administrateur de FINHOLD. Tu vois le problème ?

– Je vois. Et nous n'avons pas ouvert de dossier pour représenter Vallée ?

– Non. Apparemment, Vallée n'a pas fait appel au cabinet, ce qui n'est pas étonnant puisqu'il n'a toujours pas été convoqué par le juge d'instruction ni même été interrogé par les flics.

– Antonio Hagen, qui administre activement FINHOLD, ne m'a jamais informée de cette plainte, précise Isabelle, les yeux fixés sur le tableau. J'ai appris son existence par hasard, hier soir, par le stagiaire de Zeev. J'ai rendez-vous avec Hagen dans trois semaines à Monaco, pour une revue de dossiers et prendre des instructions. Et je ne me vois pas aborder la question. Tu m'imagines (elle se tourne vers Éric) lui dire que nous poursuivons Vallée au pénal ?

– Bien sûr, c'est un peu délicat, observe Éric. Tu penses à une solution, Zeev ?

– Oui. Il suffit à Isabelle de ne rien dire à Hagen.

– Bon. Et à part faire de la provocation, tu suggères quoi, exactement ?

– Tu le sais très bien, Éric. Nous disposons d'informations confidentielles sur deux adversaires que nous conseillons. Continuer à représenter Gerber serait déloyal par rapport à

Vallée, et vice versa. Nous avons l'obligation de nous déporter des deux dossiers. Point barre. »

Éric prend le temps d'une profonde inspiration. À côté de lui, Isabelle se penche en avant. Il ne manquerait plus qu'elle saute à la gorge de Zeev, se dit Éric. Il pose sa main sur l'avant-bras d'Isabelle et reprend la parole :

« D'accord, Zeev, tu as raison, c'est ce que, dans l'idéal, nous devrions faire. Mais puisque tu m'as appelé, je vais te présenter la chose sous un autre aspect, pour savoir ce que tu en penses. Notre taux horaire est de 400 euros, parfois un peu moins pour quelques petits clients. FINHOLD est notre seul client à 500 euros. La convention d'honoraires est signée par Hagen, un confrère. Elle est en béton. Chaque mois, nous lui adressons les factures. Nous sommes payés par virement dans les 48 heures. Jamais de réclamation. Attends... laisse-moi terminer, tu vas me donner ton avis. Isabelle a délégué des dossiers FINHOLD à Ange, à Johnny, et à moi-même. Ce n'est que par accident que tu n'en as pas eu à ce jour. Elle retient 15 % des honoraires à titre d'apporteur d'affaire interne. Ce qui signifie que dans ces dossiers que nous traitons par délégation, il nous revient à chacun 425 euros avec carte blanche pour facturer. Il est bien plus intéressant pour nous d'investir dans les dossiers FINHOLD d'Isabelle que dans nos propres dossiers. Économiquement et stratégiquement, renoncer à développer du business avec ce client serait un non-sens. Qu'en penses-tu ?

– Je pense que garder Vallée au prétexte d'un intérêt financier reviendrait à nous faire tous passer de la case avocats à la case hommes de main de FINHOLD, et ce n'est pas ma voc...

– J'en ai assez entendu, coupe Isabelle. Toi, Zeev, tu commences à me chauffer les oreilles avec ta déontologie de pacotille. Tu faisais...

– Isabelle ! intervient Éric, laisse-moi... » Mais elle continue, haussant le ton :

« Tu faisais quoi, hier soir ? Tu étais poursuivi devant le Conseil de l'Ordre. Tu faisais quoi hier après-midi ? Tu étais physiquement dans les magasins des clients, ce que t'autorise peut-être ta déontologie personnelle, mais pas celle de l'Ordre. Tu passes ton temps à franchir la ligne jaune. Tu as plus de problèmes avec l'Ordre que nous quatre réunis. Alors tes leçons, pas à moi, pas à moi. Je ne suis pas associée pour qu'on me casse mon cabinet. Et si tu...

– Isabelle ! reprend Éric en forçant la voix. Vous m'avez fait venir, oui ou non ? Tu peux t'asseoir et me laisser prendre quelques minutes de ton temps précieux ?

– Tu vas dire quoi ? Tu veux aussi jeter quelques centaines de milliers d'euros par an par-dessus bord ?

– Du calme. Nous sommes dans le même camp, tous les trois. Essayons de regarder les choses objectivement. Zeev, tu confirmes t'être présenté dans un magasin de Vallée ?

– Oui.

– Donc tu connaissais son entreprise ?

– De nom. C'est le concurrent direct de Gerber.

– Ah. C'est ennuyeux. À l'ouverture du dossier, tu avais les moyens de vérifier l'identité de la partie adverse, tu aurais constaté que FINHOLD est l'actionnaire. »

Zeev accuse le coup. Il vient de se faire planter comme un bleu. Faire front, gagner du temps pour réfléchir :

« Je te vois venir. J'ai commis une erreur. Je n'ai pas pris les informations préliminaires sur l'adversaire, et si je l'avais fait, je n'aurais pas pris le dossier. Donc vous n'allez pas payer pour mon erreur. C'est ton raisonnement ?

– C'est la réalité, pas un raisonnement. Bon, je vous propose d'avancer, les enfants. À toi, Zeev, je suggère de te déporter. Ce n'est finalement que prendre maintenant la décision que tu aurais dû prendre l'année dernière si les vérifications d'usage avaient été faites. À toi, Isabelle, je suggère de te montrer solidaire de Zeev. Il va perdre du chiffre d'affaires, il est équitable que tu partages en deux les honoraires sur le dossier niçois. Il est clair que Vallée ou Hagen lui-même vont te demander d'intervenir sur PRECA, que ce soit dans un cadre pénal ou business.

– Je ne marche pas, répond Zeev. Si j'ai commis une erreur, je l'assume. Mais pas au prix de l'intérêt du cabinet. De notre véritable intérêt, Isabelle, qui est de développer une activité d'avocat, et pas d'utiliser notre carte de visite pour faire de l'argent à n'importe quel prix. Et tes honoraires sur ce dossier, je n'en ai strictement rien...

– Ah j'adore, croasse Isabelle. Tu te fiches de mon apport de Clients ? Rassure-toi, je n'ai pas l'intention non plus de partager avec toi, j'apporte assez. Dites-moi, tous les deux, qui fait bouillir la marmite, ici ? »

Les deux hommes se regardent, échangent un léger sourire.

« Qu'ai-je dit de risible ? rugit-elle. Vous croyez vous mettre d'accord sur mon dos au nom de la fraternité des machos ? Allez vous faire voir. Je garde mes honoraires. Bonne journée, j'ai du travail. »

Cette fois, elle quitte le bureau sans plus attendre.

« Tu vois, Éric, dit Zeev tristement, la différence entre Isabelle et moi, c'est que je ne sais pas me battre contre mes amis. Tu l'as vue, elle serait capable de m'écraser comme n'importe quel adversaire.

– Tu ne vas pas lui reprocher ses qualités ?

– Facile... J'en ai marre de ses numéros d'hystérique. Tu viens de lui donner raison sur l'essentiel, et elle continue à crier pour ne pas concéder un euro.

– Et toi, tu es prêt à concéder sur quoi ?

– ...

– Zeev, il faut bien en sortir.

– Ta solution est habile, et bien amenée. Et comme tu dis, je ne vais pas te reprocher tes qualités de négociateur. Mais tu sais aussi que certaines choses sont insusceptibles de négociation. Vous venez de mettre un sacré coup de canif dans le contrat.

– C'est la loi de l'association. Il faut bien surmonter les différends. Et ce n'est pas une raison pour être amer. Tu sais, tu as marqué un point aujourd'hui. À l'avenir, Isabelle ne pourra pas se maintenir dans un dossier si elle est responsable de la difficulté. »

Éric se lève.

« Dans l'immédiat, je vais retourner la voir pour la convaincre de partager ses honoraires. Que tu ne les prennes pas ne changerait rien. Soyons professionnels.

– Tu as raison. Tu vas arriver exactement là où tu voulais.

– Tu n'auras pas besoin de t'impliquer dans le dossier niçois. Je te le garantis.

– Et tu vas faire comment ? Isabelle n'acceptera jamais de me rétrocéder quoi que ce soit si je ne travaille pas dans le dossier.

– Tu lui délégueras Ysé.

– Tu plaisantes ? Elles ne peuvent pas se sentir. »

Éric écarte les bras en signe d'impuissance.

« Eh bien... Laissons Isabelle refuser, et tu lui fourgueras ton stagiaire.

– Toi, le jour où tu n'auras plus de solution à proposer...

– Ce jour-là, nous serons tous riches depuis longtemps. »

It's Not Easy

Got me running like a cat in a thunderstorm

Basha me donne une cote dossier titrée Motta.
À l'intérieur,
juste une feuille, signée illisible.
Désignation de Maître Micoli devant la juridiction pénale
pour représenter les plaignants, mère et enfant.

Delphine m'explique comment faire
pour accéder, dans le Palais de Justice,
au cabinet du juge chargé de l'instruction,
à sa greffière, enfin au dossier pénal.

Je me réfugie dans la bibliothèque.
Plongée dans un manuel de DPS,
droit pénal spécial.
Étude détaillée des infractions pénales.
Viol, attentat à la pudeur, mineurs, pédophilie...
circonstances aggravantes, personne ayant autorité..
Je m'y perds.
Cigarette.

Coup de fil de Zeev.
Nouvelles instructions dans le dossier PRECA.
Je dois me mettre à la disposition d'Isabelle Aubier.
Je m'y attendais un peu.
Zeev a capitulé.
Bon. Et en attendant ?
Rendre à Johnny le service demandé.
Lire les bouquins est une mauvaise piste,
je vais changer mon fusil d'épaule.
D'abord récupérer les éléments de fait
en allant consulter le dossier à l'instruction.
Il est midi passé, je décide d'aller à pied au Palais.
À l'accueil, Tia, la standardiste du matin,
traite des courriers.
Je lui fais un petit coucou en passant.
Elle m'interpelle :
« Tom ? J'ai eu un appel pour vous,
pendant votre réunion avec Johnny. »

Ça fait plus de deux heures.
Elle n'est pas pressée de passer les messages,
la jolie hôtesse aux cheveux de jais,
la Miss Eurasie du cabinet.
Mais j'ai cru comprendre qu'elle avait son petit caractère,
alors sacrifions à la diplomatie et laissons filer :
« Ah oui ? De la part de qui ?
– Une certaine Édith.
Elle n'a pas laissé de message,
sauf pour dire que c'est personnel. »

Le pétillement de ses yeux vaut tous les commentaires.
Elle me plaît bien cette fille.
Pas d'alliance.
Elle a mon âge.

On bosse dans la même boîte.
Bref, plein de points communs.
Un premier jalon, pour préparer l'avenir :
« Vous m'avez appelé Tom ?
On pourrait se tutoyer ?
– Si tu veux.
– Tu peux me rendre service ?
– Tu peux demander.
– Édith est *juste* une copine.
Elle appelait pour demander confirmation
de ma présence ce soir aux Banquettes Bleues.
Un resto où nous nous retrouvons entre amis.
Je dois foncer au Palais consulter un dossier.
Ce serait sympa que tu l'appelles pour confirmer
et lui demander de compter deux couverts pour moi.
Tu as son numéro ?
– Je prends toujours le numéro de mes interlocuteurs.
– Tu veux bien me rendre ce service ?
– Exceptionnellement.
– Bien sûr ! Je comprends que tu n'aies pas envie
de dîner régulièrement avec mes copains.
Mais juste ce soir, exceptionnellement ?
Allez, viens, la deuxième place de ma résa est pour toi.
À plus, Tia ! »

J'emprunte le *Libé* qui traîne sur le desk et disparais.
Je remonte sans me presser la rue Brisemiche,
longe la tour Saint-Jacques,
traverse la place du Châtelet,
et ralentis sur le Pont-Neuf,
le temps d'admirer la rive de l'île de la Cité,
et la vue sur l'aile nord du Palais de Justice.
Notre majestueux tribunal ne souffre pas de la comparaison
avec le pompeux tribunal new-yorkais de *Justice pour tous*.

Pacino my man,
je marche glorieusement dans tes pas.

Je crapahute vingt minutes pour trouver
le cabinet du juge d'instruction de l'affaire Motta.
Fermé. Pas de juge alentour. Pas de greffière.
Parfois je me botterais le cul, tant je suis naïf.
À l'heure de table, l'instruction est fermée.
Quel scoop.

Je m'assois dans le couloir désert.

Attendre, attendre, on me l'avait bien dit,
c'est une grosse partie du boulot d'avocat de Palais.

J'ai le temps d'éplucher le journal.
Reviennent en mémoire des images de ce matin.
Johnny absorbé dans la lecture des grands titres.
Delphine justifiant la défense des crapules.
Ces souvenirs se mixent dans mon esprit,
et un autre *Libé* apparaît sous mes yeux,
un journal qui raconte mon futur métier.
Je m'abîme dans l'interview de deux avocats,
défenseurs de six Français musulmans
capturés par les Américains en Afghanistan
et interrogés par la DST et la DGSE à Guantanamo.
Objectif : annuler les procédures de poursuite en France.
Se battre pour le respect des libertés,
que les prisonniers soient ou non des terroristes.
Sans pouvoir exclure qu'en réussissant à les libérer,
on puisse être quelque part responsable
d'un massacre qui serait commis par l'un d'eux...

Je me sens beaucoup plus à l'aise,

investi du dossier Motta.
Défendre des victimes, c'est quand même autre chose !
En tout cas plus facile, tant que je n'aurai pas acquis
le cynisme des avocats qui, comme Johnny,
proclament leur grande utilité publique
tout en faisant beaucoup de blé
grâce aux truands.

Mouvements dans le couloir.
La justice est de retour.

Je manœuvre avec la greffière comme l'a prescrit Delphine,
et obtiens de consulter le dossier d'instruction.
Je m'installe à un petit bureau inconfortable.
J'ai un grand bloc jaune à lignes bleues,
le « legal pad » des avocats.
Très frime.
J'ai pris aussi un dictaphone.
J'utiliserai l'un ou l'autre support,
je n'en sais rien encore.

J'épluche méthodiquement pièce après pièce.
Dépositions devant des officiers de police.
Rapports d'assistance sociale.
Expertises judiciaires.
Attestations.

Je n'utiliserai finalement ni mon bloc ni mon dictaphone.
Et je n'irai pas au bout de la lecture du dossier.
Ma vue s'embue, les larmes montent.
Les lignes dansent.
J'essaie de me calmer en respirant à fond.
Mais une pulsion irrésistible s'empare de mon corps
et me jette hors du cabinet du juge.

Je fais quelques pas dans le couloir.
Impossible d'y retourner.
Je marche, longtemps,
couloir sur couloir interminable,
je me perds dans le labyrinthe du Palais.
Comment des choses pareilles sont possibles,
je ne peux pas, ma tête chavire sur mes épaules.
Je n'y tiens plus, je me mets à courir.
Dévale les escaliers, de plus en plus vite.

Besoin de cogner sur quelque chose.
Défoncer cette porte à coups de pied.
Tu peux pas faire ça.
Déconne pas.

Le malaise me prend
alors que je débouche dans un hall immense.
Je m'appuie contre une colonnade de pierre.
Et ça sort enfin.
Par la bouche, le nez, les yeux.
Je vomis à l'infini.

It Hurts Me Too

When things go wrong

De : Tia
À : Charlotte

Cc :

Objet : ma soirée avec Tom au restaurant

Samedi 1 h 30

Charlotte,

Tu es encore à ta soirée?

Merci pour notre conversation de tout à l'heure.

Contente d'y être allée.

Peux pas dormir, besoin de parler.

RDV avec Tom place Daumesnil, pour ne pas qu'il monte chez moi.

Au resto (bien le resto, en plus il m'a invitée), nous étions 8.

Ils ont été assez cool avec moi, j'avais l'impression d'être nettement plus vieille qu'eux, alors que non !

Tom a pas mal bu. Au début de la soirée, je ne l'ai pas remarqué, mais ensuite j'ai bien vu qu'il n'arrêtait pas.

Quand nous avons commandé les desserts, il a proposé, le temps que nous soyons servis, de raconter son dossier pénal du jour. Ils l'ont un peu chambré sur le secret professionnel, mais tout le monde l'a écouté.

Si tu avais été là, je suis sûre que tu aurais ressenti la même chose que moi.

Je crois que je me rappelle chacune de ses phrases, et je sais qu'après ça, je ne verrai plus jamais Tom de la même manière. Je t'assure, il est très différent du grand type un peu trop sûr de lui dont nous parlions. J'ai vu ce soir quelqu'un qui m'a... bon tu vas dire que j'ai pété un câble pour lui.

En tout cas, voilà ce qu'il a raconté (pour ton info, c'est un dossier de Johnny, tu auras sûrement de la frappe à faire dedans) :

La Cliente s'appelle Stéphanie Motta, visiteuse de prison. Elle se lie avec un prisonnier. Quand il sort, ils se mettent ensemble. Il vient vivre chez elle.

Elle élève seule son fils. Il viole l'enfant, puis le kidnappe. Il zone de ville en ville avec lui. Il lui raconte qu'il l'a emmené parce que sa mère était morte. L'enfant le croit.

Le type drague des femmes qui ont des enfants. Il se présente comme veuf avec un fils. Quand il réussit à s'incruster chez une femme, il viole son enfant.

Tom raconte ça froidement, mais sa voix se voile au fur et à mesure

Au bout de x temps, la police fait le lien entre plusieurs plaintes similaires des femmes en question. Le violeur finit par être arrêté. L'enfant de Madame Motta retrouve sa mère.

Quand Tom parle des conséquences sur la femme et l'enfant, les larmes coulent sur ses joues. Il continue à parler, il pleure, il a la voix étouffée.

Le violeur a fait de la préventive pendant six mois, puis est sorti dans l'attente du procès. C'est jugé dans deux mois.

Il a déjà un casier judiciaire. Il a fait de la prison pour des petites escroqueries, là j'ai pas tout compris.

Tom a fini de raconter l'histoire. Il tremble. Il dit que c'est terrible que ce type soit en liberté, que s'il n'est pas condamné à de la prison ferme alors qu'il en a fait pour escroquerie, il ne comprendra jamais la gravité de ses actes. Il demande aux autres quoi faire pour ces enfants, pour Madame Motta et les autres femmes, aucune punition et aucune indemnité financière ne pourront réparer ce qu'ils ont subi.

Il pense en particulier au fils de Madame Motta, dit que le gosse est à tout jamais fracassé, que même sans les viols, le traumatisme subi avec l'histoire de sa mère soi-disant morte puis ressuscitée est inimaginable, que pour lui les adultes sont désormais un danger terrible, que le procès ne pourra rien réparer à sa vie détruite.

Et là il s'est arrêté de parler, il ne pouvait plus articuler.

J'étais sous le coup de l'émotion, moi aussi. Je crois que c'était pareil pour les autres, personne n'a rien dit pendant un moment.

Sauf qu'un de ses copains a rompu le silence en disant gaiement :

Bravo, Tommy, tu nous as fait une belle plaidoirie. Tu as de la chance d'avoir des dossiers pareils.

Un connard fini ce type, non ?

Tu comprends que je ne pouvais pas rester avec ça dans la tête.

Je vais quand même essayer de dormir.

Bon week-end, ça a l'air bien parti pour toi.

À lundi pour déjeuner.

Tia.

PS : Depuis que je suis au cabinet, je n'ai jamais ressenti l'émotion de ce soir dans les dossiers, ni même aucune émotion, tant je suis à l'écart. Peut-être parce que je m'occupe uniquement de l'accueil. Ce serait tellement bien qu'un des avocats m'emmène assister à une plaidoirie.

Heartbreaker

Who you're fighting for ?

Je vais bientôt fêter mes quinze premiers jours de stage,
et je commence à prendre mes marques.

Pour Ysé la sublime, j'ai déjà renoncé.
Je n'existerai jamais pour elle,
sauf à me travestir en Zeev.
Pas la peine de rêver.

Charlotte notre petite secrétaire Diacolor ?
Trop kepon, trop destroy.

Delphine la pénaliste branchée sport ?
Trop carrée, catégorie bonne copine sans plus.

Il me reste à investir sur trois plans sélectionnés.

Basha, notre assistante, c'est le plus évident.
Nous sommes ensemble tous les jours,
elle maintient ses distances,
mais y a quelque chose.

Tia la standardiste.
Avec celle-là, c'est hyperjouable.
Ça aurait même déjà dû se faire, l'autre soir.
J'ai pas assuré, mais c'était de ma faute.

Enfin Carole. Carole Le Gai Puiser.
Je ne la connais que de vue.
Mais c'est du lourd, du très lourd.
Collaboratrice, dernière avocate recrutée par Ange Navale.
Look jeune executive woman, déjà en tailleur gris perle.
Jupe courte, des jambes ouaaah, bonjour les fusées,
des cuisses qui sortent savamment du fourreau de la jupe
et s'offrent en spectacle aux amateurs.
Les premiers jours, j'étais partagé à son sujet.
Un petit côté manager de desk au Méridien...
Mais elle se rattrape par ses yeux vert émeraude.
Dans son regard, il y a...
Ouais.

En tout cas, je conclurai au moins avec l'une des trois.

Côté boulot, c'est moins rose.
Ces histoires de pénal, j'en ai déjà ma dose.

L'affaire PRECA avec une instruction bloquée,
et les associés de Zeev qui lui retirent le dossier.
Ça se finit en double queue de poisson.
J'aurais dû prendre Magouilles en option.
Et Gestion de l'Honoraire. Matière fondamentale.
Au-delà d'un certain taux horaire, il n'y a plus de morale.

Quant au superdealer international,
c'est peut-être encore plus génial.
Delphine et Johnny y passent des heures,

ils vont finir par trouver, annuler la procédure.
Un beau matin, de Fresnes ils feront sortir l'ordure.
Johnny lui présentera une belle facture.

Bien sûr, il y a l'enfant violé et sa mère.
Petit dossier, a dit Johnny.
Certainement, en termes d'honoraires.
Mais enfin, là n'est pas la question !
J'ai réagi comme un bleu, l'autre jour au Palais.
La question est : dégueuler, est-ce le signe d'une vocation ?
Sûrement pas une vocation de pénaliste.

Il me reste le dossier de la pute, au bas de la liste.
Pas l'intention de rester sur la réunion foirée.
J'ai essayé de bien bosser le dossier de plaidoirie.
Et tant pis si j'ai pas trouvé de défense en acier,
dans deux jours, Éric Dressler plaidera.

J'attends l'appel de son assistante pour le briefer.
C'est long, impatience, marre de fumer.

Ce matin, Zeev m'a demandé où en est le dossier.
Je lui ai avoué ne pas être sûr
que nous puissions le gagner.
Sa réaction m'a presque rassuré :
« Contrairement à ce que vous semblez croire,
a-t-il dit, presque amer,
le collab' de Gruzain n'a pas une chance sur dix
contre mon Dressler. »

Quand enfin l'assistante d'Éric me téléphone,
je numérote mes abattis.

Dressler me reçoit dans son grand bureau,
cigare aux lèvres.

« Allez-y, Thomas, dites-moi ce qu'on peut plaider.
Nous avons tout le temps. Disons, quelques minutes. »
Je m'éclaircis la gorge.
« En deux mots, voilà :
La loi et le règlement de copropriété permettent au syndic
d'empêcher un occupant de pratiquer la prostitution.
Pourquoi ?
Un appartement est censé être occupé bourgeoisement,
chacun doit s'y comporter en "bon père de famille".
– Et les bons pères de famille, n'est-ce pas,
ne fréquentent pas les prostituées ?
– Ils peuvent,
la prostitution n'est pas interdite en tant que telle.
D'où je déduis qu'ils peuvent pratiquer la prostituée,
mais qu'en revanche
ils ne peuvent pratiquer la prostitution. »

J'ai essayé de détendre l'atmosphère,
enfin, plutôt de me détendre, moi,
mais Dressler ne semble pas apprécier.
Il pose les avant-bras sur son bureau.
J'essaie de devancer la remise en place.
« Hmm, oui d'accord c'est un peu...
– Votre logique est loin d'être absolue, me coupe-t-il.
Avançons. Quel est votre plan de défense ?
– Nous ne pouvons pas clairement contester
leur fondement juridique.
Il reste à se battre sur la mineure du raisonnement.
– C'est-à-dire ?
– Leur raisonnement, c'est un syllogisme basique :
1. Il est interdit de se prostituer dans l'immeuble.
2. Or Madame Rossetti y pratique la prostitution.
3. Donc elle doit être interdite de pratique.
– Ça, c'est logique.

– Le premier point du syllogisme est indiscutable,
puisque la règle est clairement contre nous.
Je vais donc attaquer le deuxième :
Madame Rossetti *ne pratique pas* la prostitution.
Pas de preuves au dossier.
Ce pourrait être jouable, non ?
– Il y a pourtant cette publicité dans *Le Nouvel Obs* ?
– Massages-relaxation, pas autre chose.
Cela dit,
la notion de massage implique un contact physique,
qui pourrait selon la jurisprudence entraîner la qualif...
– Stop. J'ai compris. Votre pronostic ?
– Eh bien... d'après Maître Rohach... »

Je n'ose pas lui dire que je n'ai rien trouvé de terrible,
que l'alibi des massages est un peu gros,
alors je lui répète le compliment de Zeev.
Éric sourit, d'un air indulgent.
Il me tend le bras.
Je lui remets mon dossier de plaidoirie.
Il le feuillette en silence.
Sur chaque cote, j'ai porté avec soin des indications,
pour discuter les documents adverses qui y sont rangés,
ou au contraire mettre en valeur les nôtres,
comme on nous l'a appris à l'École.
Éric ne lit pas mes cotes, je flippe.
En revanche, il les ouvre,
scrute chaque pièce.
Son examen terminé,
il referme le dossier.
Tire sur son cigare.

« Êtes-vous disponible, après-demain ? me demande-t-il.
– Bien sûr.

– La mineure du syllogisme, c’est bien ça ?... »
Il souffle un nuage vers le plafond.
« Puisque vous êtes disponible, conclut-il,
vous m’accompagnerez à l’audience,
vous verrez ce qu’en pense le juge. »

Respectable

A rag-trade girl, the queen of porn
She's so respectable

Palais de Justice.
Tribunal de grande instance.
Salle des référés.

Copropriété Rembrandt contre Rossetti.
Notre affaire est sur la liste affichée à l'entrée.
Au fond de la salle d'audience,
depuis l'estrade,
le juge fait l'appel des causes.
À sa gauche,
une greffière manipule son registre.
En guise de public, une douzaine de robes noires.
Je suis le seul civil.
Assis à côté d'Éric, j'observe le visage du juge,
comme si j'allais deviner son inclination.
Marc-Alain Darrieux entre dans la salle.
Il se dirige vers nous, serre la main d'Éric.
Je détourne la tête.

Le magistrat appelle l'affaire Rossetti.
Éric se lève et lance un retentissant :
« Complets, Monsieur le président ! »

Je sursaute.
Dressler, le juriste d'affaires froid et réservé,
vient de se métamorphoser en avocat plaidant.
Debout, son quintal virgule trois disparaît sous la robe,
ses cheveux coiffés vers l'arrière esquissent une crinière,
sa moustache et sa barbe, filetées d'argent,
ajoutent à la majesté de son port de tête.
Solidement campé sur ses jambes,
le menton volontaire,
il emplit l'espace.
Ses yeux gris-bleu expriment,
pour l'heure, la bonne humeur.

À trois mètres de lui,
le Marc-Alain souffre de la comparaison.
J'ai l'impression qu'il s'est rabougri.
Son air sérieux, austère, qui avait l'avantage
de suggérer la compétence de l'homme de loi,
devient symptôme de constipation.
Ses occipitaux précocement dégarnis,
qui accentuaient l'aspect cérébral du visage,
sont devenus légèrement brillants de sueur.
La phrase de Zeev me revient.
« Il n'a pas une chance sur dix contre mon Dressler. »
En tout cas si j'avais, tout de suite,
à désigner un de ces deux avocats comme défenseur,
je ne perdrais pas mon temps à prendre une photo.

Les deux hommes montent à la barre.
Ils se tiennent debout, côte à côte,

à deux mètres du juge qui va diriger les débats.
Débats est un bien grand mot.
C'est une procédure de référé.
Il n'y aura pas de plaidoiries à proprement parler,
mais un échange d'au plus quelques minutes,
conduit par le président du haut de son trône,
juste le temps nécessaire pour qu'il se décide.
Cette procédure est réservée aux cas d'urgence,
ou à ceux qui ne sont pas sérieusement contestables.

Je ne vois plus que le dos des plaideurs.
À gauche, celui d'Éric,
à un mètre à sa droite,
celui du jeune Darrieux,
et entre les deux j'entrevois le juge,
qui va tourner alternativement la tête
vers l'un ou l'autre,
pendant les huit minutes que durera l'audition.

Le président vérifie que la procédure est en état,
et donne la parole à Maître Darrieux,
« pour la demanderesse ».
Je remarque qu'Éric se recule légèrement,
comme s'il laissait le terrain à son adversaire.

Le Marc-Alain fait son boulot.
Il plaide, sobrement, expose le cas.
Sort des pièces, la publicité « explicite », les témoignages.
Puis il insiste sur l'impossibilité de concevoir
une vie décente dans un immeuble résidentiel
avec un trafic de personnes non identifiées
dans le hall, les escaliers et l'ascenseur,
et ce, dans un but sexuel et mercantile.

Le président regarde les pièces.
Il a la cinquantaine entamée mais bien tenue.
Son visage se ferme à la lecture de la retranscription
du message enregistré sur le répondeur de notre Cliente.
Dressler, en retrait, mains derrière le dos, reste impassible.
Le juge veut des précisions sur les demandes.
Apparemment les questions du président sont un bon signe,
tant la voix de Marc-Alain s'éclaircit en répondant.
C'est presque joyeux qu'il finit ses explications,
avec coup d'œil ironique par-dessus son épaule
en direction de Dressler, toujours stoïque.

Notre tour arrive.
Éric se tourne vers moi, tend la main.
Je me lève, lui remets le dossier de plaidoirie.
Je ne sais pas ce qu'il en a fait depuis avant-hier.
Pourtant, je me suis donné du mal.
Je démontre que les textes invoqués par le syndic
sont interprétés de manière pour le moins discutable ;
que massage et sexe tarifé sont deux choses distinctes ;
et qu'enfin, même s'il y avait prostitution,
la loi ne peut à la fois en autoriser la pratique
et en interdire l'exercice en un lieu privé. Logique !
J'ai plus bossé que pour n'importe quel examen.
Et pourtant, je suis tout sauf sûr de nous.
Le juge et Darrieux semblent évoluer en phase.
Les beaux raisonnements vissés au fin fond de mon dossier
ne dissiperont pas l'impression qui ressort de l'affaire.
Pratiquer la prostitution dans un superbe immeuble,
près du parc Monceau à Paris, ça choque.
Le justiciable à protéger est l'honnête proprio et sa famille,
beaucoup plus que la belle de nuit et ses clients.
Ce n'est que maintenant, à l'audience et face au juge,
que l'affaire m'apparaît pour ce qu'elle est : indéfendable.

Le président se tourne vers Maître Dressler.
Celui-ci s'approche de l'estrade.

Mais.

Au lieu de s'avancer tout droit,
Éric dévie sur sa droite,
mord sur l'espace entre lui et Marc-Alain,
jusqu'à presque toucher son confrère.
Mauvais réflexe, le triste se déporte encore plus à droite,
et se retrouve décalé par rapport au juge,
alors qu'Éric est maintenant juste en face de ce dernier.
Je suis bouche bée.
En une seconde,
Éric a éjecté l'autre zouave de la scène.
Il parle seul à seul au juge,
les bras écartés augmentant encore son envergure,
et dissuadant le nabot de venir s'y frotter.

Éric parle délibérément à voix basse,
mais distinctement; je m'approche.
Il explique qu'il connaît personnellement
Madame Rossetti qui traite sa propre épouse
ainsi que plusieurs personnes de sa connaissance,
car elle a un talent supérieur à bien des ostéopathes.
Que c'est dans ces conditions
qu'il est amené à la représenter.
Que d'ailleurs il a communiqué
toutes les pièces nécessaires
pour établir la nature de son activité
et sa situation régulière,
au regard des administrations sociales et fiscales.
Que l'action en référé n'a dans ces conditions
d'autre mérite qu'entretenir des cancans,

de banales querelles de voisinage.
Et d'ailleurs...

Comme dans un film,
je zoome, plan rapproché sur Éric.
Je le vois s'accouder,
du bras droit,
à la table du magistrat.
Au terme d'un geste ample du bras gauche,
la grande manche noire dessinant une arabesque
vient isoler les deux hommes,
hors de la présence de l'importun Darrieux.
Éric extrait du dossier de plaidoirie quelques feuillets.
Je reconnais les relevés de carte bancaire de Rossetti.
Il les présente au président.
Il commente, à voix très basse, en confidence :
« ... Et d'ailleurs,
monsieur le président,
quand vous allez aux dames,
payez-vous par carte de crédit ? »

Je regarde Marc-Alain.
À sa mine défaite,
je comprends que le juge a basculé.

Éric a gagné.
Le président déboute le syndic,
considérant, selon la terminologie consacrée,
qu'« il n'y a lieu à référé ».

J'esquisse un pas de danse en sortant d'audience :
Rossetti est sauvée.

« Provisoirement », précise Éric quelques minutes plus tard,
après que la pression de l'audience s'est dissipée.

Il s'essuie le front, m'entraîne vers la sortie.
Marc-Alain s'est évaporé.

Marchant dans les couloirs, j'ai droit à un débriefing :
« Vous savez qu'ils peuvent faire appel de la décision,
ils peuvent aussi aller devant le juge du fond,
et même s'ils perdent, y retourner sur un autre motif.
Dans notre métier, ça se joue rarement sans appel.
Tant que vous avez la confiance du Client,
vous avez de quoi continuer le combat.
– Alors nous n'avons rien gagné aujourd'hui ?
– C'est la Cliente qui a gagné, quelques mois de répit.
Mais je ne néglige pas notre petit succès.
C'était un joli coup, et il faut le savourer.
Vous avez quartier libre cet après-midi. »
Nous avons traversé tout le Palais.
Sortie par l'arrière, place Dauphine.
Éric me quitte sur les marches du perron.
Une voiture luxueuse l'attend devant les grilles.

Je jurerais que c'est Elle, la Cliente, assise à l'arrière.

I Wanna Be Your Man

Love you like no other, baby, like no other can
I wanna be your lover, baby, I wanna be your man

Déjà la mi-octobre, il est temps de rentabiliser.
Impossible de connecter Carole, la collab' overbookée.
Quand elle n'est pas en mission, projetée au front,
elle bosse chez Ange, de l'autre côté des locaux,
et je ne vais pas passer ma vie à attendre.

Du côté de Tia, je ne sais pas si ça va prendre.
Voyant qu'elle ne décolle pas de son standard,
j'ai essayé de la rencarder à nouveau, pour jeudi soir.
La coquette n'a dit ni oui ni non, je suis dans le noir.

D'ici là, faut que je progresse sur mon troisième plan.

Basha.
Blonde Lisbeth.
Je ne la lâche pas.

Tous les soirs, alors qu'elle se prépare pour partir,
je l'invite à prendre un pot, elle dit non.
C'est devenu un petit jeu entre nous.

Un code pour se dire bonsoir.

Bientôt 18 heures.
Je ne déroge pas à nos habitudes.
Elle, oui.
Ce soir elle me dit d'accord.
À condition de le prendre au cabinet.

Nous allons préparer du thé dans la cuisine.
Physiquement, elle a une belle personnalité, Basha.
Chargés d'un plateau, nous revenons dans son bureau.
Je décide d'y aller gentiment.
« Alors tu vas me le dévoiler, le secret ?
Pourquoi t'appelle-t-on Basha ?
– Aaah, mon surnom ? Ce n'est pas secret !
C'est à cause de Zeev.
Tu comprends, il est un peu space.
– Mais encore ?
– Tu sais que je suis danoise.
– Je me disais bien... mais tu parles bien notre langue.
– J'étais au lycée de l'Alliance française,
chez moi au Danemark.
En classe de première,
j'ai remporté le concours de français.
J'ai gagné un séjour d'été ici,
avec tous les lauréats d'Europe.
Et je suis tombée amoureuse de Paris...
– Bien sûr...
– Bien sûr. Tu me laisses raconter ?
Quand j'ai eu vingt et un ans, j'ai décidé de m'y installer.
J'ai été engagée par Zeev un an plus tard.
– Jusque-là, d'accord. Reste que Basha, c'est pas danois.
– Non, c'est polonais.
Quand je suis arrivée au cabinet, en 2001,

une secrétaire polonaise y travaillait depuis un an.
Barbara. Basha, c'était son petit nom.
– I see. En fait tu as hérité de son prénom.
Et qu'est-ce qui lui est arrivé à la vraie Basha ?
– Quand le cabinet de Zeev et Johnny a démarré,
le premier Client important a été un milliardaire américain.
– Bon début !
– Je ne sais pas les détails, comment ça s'est fait,
il ne s'agissait que d'une petite affaire privée.
Zeev était installé loin d'ici, dans l'est de Paris.
Un appartement dans une petite rue à Daumesnil,
où ils auraient eu honte de recevoir ce Client.
Le Client est venu spécialement les voir à Paris.
Il fallait signer des papiers.
Zeev a fixé le rendez-vous dans un grand hôtel.
Il n'avait pas de collaboratrice, il a emmené Basha.
Elle est passée chez le coiffeur, a acheté un tailleur.
T'imagines, ça a dû être un vrai film cette scène.
– Ouais, et le titre du film c'est *Sabrina* ?
Et le milliardaire c'est Cary Grant ?
– Laisse-moi finir.
Coup de foudre.
Le Client est reparti avec Basha, dans son jet privé.
– Non...
– Si, c'est vrai !
Zeev était fou, il me l'a dit lui-même.
Le Client a écrit une très gentille lettre,
rangée dans le book du cabinet, tu peux la lire.
– Dis-moi.
– Avec humour, le milliardaire reconnaît que par sa faute,
le cabinet subit une grande perte et pour se faire pardonner,
il promet à Zeev de lui envoyer tous ses dossiers liés à
l'Europe.
– Trop mignon. Il a tenu parole ?

– Je crois que oui.
Tu regardes dans les armoires chez Charlotte,
tous les dossiers rose fuchsia sont à lui.
Jusqu'à aujourd'hui, cinq ans plus tard,
une bonne partie du chiffre d'affaires de Zeev
vient de ce Client.
– C'est un conte de fées, ton histoire.
– Mais non, notre quotidien est plus fort que la fiction.
Quand je suis arrivée au cabinet, Zeev m'a dit :
"J'ai envie de vous appeler Basha, ça ressemble à Lisbeth."
– Ton vrai prénom.
– Oui. J'ai demandé pourquoi.
Il m'a raconté l'histoire, il voulait conjurer le sort,
ou garder un prénom porte-bonheur, je ne sais pas trop.
– Et la logique, là-dedans ?
– Si Zeev était logique...
– Et ça t'a pas dérangée de porter le nom
de celle que les patrons regrettent ? »
Rire de Lisbeth.
« Attends tu ne sais pas tout. J'ai pris la chose au sérieux.
Je faisais très attention à tout ce qui me paraissait bizarre,
parce que je ne connaissais pas du tout vos coutumes.
Le soir, j'en ai parlé à mon copain.
La coïncidence de cette histoire,
c'est qu'il est aussi polonais.
C'est lui qui a gagné le concours de l'Alliance à Varsovie.
Je l'ai rencontré ce fameux été de notre séjour à Paris.
– Donc tu n'es pas tombée amoureuse seulement de Paris ?
– Pas seulement.
Nous nous étions juré de nous installer en France.
Et nous l'avons fait, quatre ans plus tard.
– Je vois, la concurrence va être rude.
– Comment ?
– Rien, continue.

– Donc j'ai raconté tout ça à mon copain.
Quand j'ai dit "Basha", il a éclaté de rire.
Il a dit que ça m'allait bien,
qu'il aimerait bien rencontrer Zeev.
– Et ?
– Et... hmmm... l'heure du thé est passée.
Je te raconterai ma vie une autre fois peut-être.
– Basha, tu aimes le cinéma ?
– J'adore.
– Pour t'inviter, il faut un carton ?
– Je rentre maintenant, je te l'avais dit.
– Je dois m'inscrire sur une liste d'attente ?
– Pas besoin.
C'est seulement que...
j'aime regarder un film avec un cinéphile.
– Alors c'est bon !
– Avec toi ? Non.
– Mais enfin, Lisbeth, je te jure que je suis...
– Pas avec un type qui confond Cary Grant et Bogart. »

Basha part rejoindre son amoureux.
Il doit être ultrabéton en cinéma, le lascar.
De toute manière, j'ai compris les messages,
j'ai rien à espérer de ce côté.
Pas grave, je l'aime bien quand même,
elle est claire dans sa tête,
et c'est une superassistante,
qui tient tout pour son patron et pour l'équipe.
Et puis... et puis merde,
c'est pas mon problème !
Je ne suis pas là pour me faire des bonnes copines.
Vivement jeudi soir, le stagiaire et la standardiste.
Tia et moi sommes faits l'un pour l'autre.
Je lui plais, ça c'est déjà acquis.
Reste à conclure.

Beast Of Burden

I'll never be your beast of burden
I'm not too blind to see

Bientôt 19 heures, Basha s'est tirée.
Charlotte a suivi, m'adressant un salut désolé.
Elle a tout vu, elle a tout pigé.

Je vais finir mon thé dans mon petit bureau.
Le cabinet se dépeuple,
secrétaires et assistantes débauchent.
Mais pour les avocats et leurs stagiaires,
la journée continue.
Moins d'appels, de bruit :
il est temps de se mettre au travail de fond.
Dans le bureau d'à côté,
Ysé bosse sur sa plaidoirie de demain,
Eddie et Zeev, retardés par les embouteillages,
sont en train de rentrer de Versailles.

Personne pour me déranger.
Je dissipe mon blues d'un coup de potion magique :
écouteurs dans les oreilles,
iPod m'explose la tête de bonne musique.

Dossier PRECA, une dernière fois.
Je classe d'un côté procédure et pièces,
à rendre à notre ex-Client.
Le reste du dossier ira à l'archivage, à conserver dix ans.

Une demi-heure me suffit sur le rythme de Zina Rock.
Je clique le fichier facturation de Monsieur Gerber.
Le tableau de comptabilité apparaît.
Je tape 0,5 heure, le taux apparaît à droite : 400 euros.
Le pauvre, dire qu'il paie même le temps d'archivage.
J'efface mon chiffre, le remplace par 0,25 heure.
J'enregistre.
Pas grand-chose, il ne le saura jamais,
mais c'est pour le geste.

Waouh ! Je sursaute sur mon siège.
Quelqu'un est entré et m'a tiré par la manche.
J'arrache mes écouteurs.
« Excusez-moi... Maître Aubier veut vous voir... »
Je lève les yeux. Tiens, une sœur :
cette fille a la peau presque aussi claire que la mienne.
Je l'avais déjà rencontrée dans le hall : Parina.
« Je suis l'assistante d'Isabelle,
je vous appelle depuis dix minutes.
Vous feriez mieux de vous dépêcher. »
Gracile de partout, des poignets, des mains, du cou.
Des cheveux frisés très courts, de grands yeux noirs.
Kraïsst, ils vont les trouver où, leurs assistantes ?
« C'est joli Parina. Ça vient d'où ?
– Je suis tutsi. Venez, je vous accompagne. »
Je me lève.
« Vous faites des heures sup' ?
– Très drôle. Allez... »
Geste d'impatience de la main.

Je remarque l'alliance.
End of the story.
« Je vous suis. »

Bureau de Maître Aubier.
Du verre, du bois clair, des vases chinois.
Beaucoup de goût, celui du décorateur ?
Elle lève la tête de son parapheur.
Pas du tout énervée, la mégère.
Le visage net, les cheveux tirés en arrière.
La veste de tailleur est ouverte sur un chemisier crème.
Petit collier de perles, broche et montre-bracelet en or.
Rouge à lèvres discret, vernis à ongles transparent.
Nickel après au moins dix heures de boulot.
Elle m'invite à m'asseoir.
J'hésite à ôter ma veste.
« Thomas... Tom, n'est-ce pas ?
Comment se passe votre stage ? »
Hou là, je ne la sens pas du tout. Je garde la veste.
« Très bien ! Très bien, merci.
– Tant mieux, tant mieux. Vous savez certainement qu'Éric
vous a affecté à mon équipe
pour la suite de... vous savez, l'instruction de Nice ?
– De Grasse. Oui, je suis au courant,
Zeev m'a donné le feu vert. »
Elle me regarde un tout petit peu trop fixement.
Eh oui, cocotte, c'est moi le moucheron insignifiant
qui ose te contredire deux fois dans une même phrase.
Elle reprend, d'un air engageant :
« Il y a eu un quiproquo dans ce dossier,
mais tout est arrangé.
Nous ne pouvions pas défendre ce monsieur...
– Gerber.
– Merci. Nous lui avons rendu son dossier,

C'était une obligation déontologique.
– Je viens juste de finir de l'archiver.
– Ah, quelle coïncidence ! Et qu'en pensez-vous ?
– Euh... du dossier, ou de sa restitution ?
– Dites ce que vous pensez, allez...
– Je suis là pour apprendre.
– Et ça vous plaît de continuer sur cette affaire ?
– Si je puis être utile...
– Vous pouvez. Certainement.
J'ai un rendez-vous mensuel à Monaco
avec un confrère suisse qui représente un Client important.
Ce Client est adversaire de... Monsieur Gerber. »
Et là elle me fait un truc que je connaissais pas.
Elle me regarde au niveau de la poitrine,
remonte vers mon visage,
et finit l'ascension légèrement au-dessus de ma tête.
Pensive, elle poursuit,
l'air de se demander si l'idée est bonne :
« Ça vous dirait de m'accompagner à Monaco ?
J'ai l'habitude d'y passer deux jours. »
Pfff... Qu'est-ce que je peux répondre à ça ?
« Il faudra que je vérifie si j'ai cours à l'EFB,
vous savez, la présence est obligatoire,
même pendant le stage.
– Ah oui, l'EFB ! C'est comme vous pourrez, alors... »
Elle me jauge, avec un sourire un brin narquois.
Je suis coincé dans ses filets.
Soit je l'accompagne à Monaco,
soit je finirai ailleurs mon stage.
J'ai pas du tout envie de... même pour un stage.
Juste avant que le silence devienne lourd, elle reprend :
« Puisque vous êtes là, vous pouvez me briefer ? »
La briefer ! Elle est surex, cette meuf.
« Bien sûr. Sur quoi ?

– Où en est l'instruction à Grasse ? »
J'hésite à l'enfumer, mais c'est plus fort que moi :
« Oh, l'instruction avance pas mal.
La juge trouve les éléments de Gerber solides.
Elle a mis du temps, elle est du genre sérieuse.
Nous ne sommes pas loin de la commission rogatoire.
– Tiens donc... Intéressant.
Et Monsieur Gerber, comment va-t-il ?
J'ai cru comprendre qu'il était hospitalisé.
– Il paraît. Je ne l'ai pas rencontré.
– Certes. Mais vous vous êtes transporté sur les lieux,
Je veux dire, vous êtes allé dans les magasins.
Où en est l'activité de PRECA ? »
Là c'est trop.
Je me lève.
« Je préférerais que vous le demandiez à Zeev.
Il ne va pas tarder. Il est d'ailleurs peut-être déjà rentré.
Excusez-moi, j'ai encore des conclusions à sortir. »

Je lui tourne le dos,
sors du bureau d'un pas léger,
en sifflotant bien fort *Just A Gigolo*.

Just My Imagination

Running away with me

Sortant du bureau d'Isabelle, je croise un de ses collabs.
J'avais déjà sympathisé avec Alexandre Svidler,
un type ouvert, beau gosse, cool, sans aspérité,
le Michel Drucker du cabinet.

Handshake.
« Tu vas bien ? demande-t-il, sincère.
– À peu près.
– Que fais-tu en sortant ?
– Rien de spécial.
– 21 heures au Lawyer's Pub, ça te branche ?
– Why not ? »

Je retiens l'adresse,
et réintègre ma petite bibliothèque.
Enfin, je m'écroule dans mon fauteuil.
Jeté par Basha, passe encore,
mais dragué par la patronne,
ça va bien comme journée.
Ça pourrait être marrant et ça ne l'est pas.

Si je bossais ici comme avocat,
ce serait l'horreur.
20 heures.
Marre d'attendre Zeev, plus envie de lui raconter,
de crever l'abcès avant que ça dégénère avec Aubier.

Je dis bonsoir à Ysé,
et je pars pour mon rencard, à pied.

Lawyer's Pub.
Une façade bleue, enseigne en lettres d'or,
au cœur d'un quartier chic de la rive droite.
Entre le pub anglais et le bar américain DINK [1].
Si l'enseigne dit vrai, ce doit être une annexe du Palais.
Ça m'en a tout l'air, au vu des dégaines un poil affectées
de la plupart des clients assis autour des tables d'acajou.

À peine le temps de prendre une bière au bar
que le gentil Drucker se pointe, seul.
« Tu attends des gens, Alex?
– Pas spécialement.
– Ah bon? je croyais... »
Il m'entraîne vers deux immenses fauteuils au cuir patiné.
« Tu avais l'air sonné, tout à l'heure.
J'ai décidé de t'offrir un verre. »
Nous commandons.
« Alors, ça se passe comment pour toi? » me demande-t-il.

À qui d'autre raconter?
Je commence par l'important : Basha, Tia et Carole.
Puis l'inquiétant : mon entrevue avec Isabelle.

---

1. Double income no kids, *i.e.* foyer composé de deux travailleurs sans enfants; l'addition de leurs revenus fait saliver les marchands.

« Ça t'en fait, des aventures, s'amuse-t-il.
– T'en penses quoi ?
– Excuse-moi de traiter d'abord ta difficulté avec Isabelle.
Je te rassure, je ne crois pas qu'elle ait voulu te draguer.
À mon avis, elle est du genre zéro libido.
Elle est mariée, elle a deux mômes,
c'est là qu'elle a fait le sexe.
Son mari a été une espèce de bourdon, tu vois le genre ?
Elle garde ses distances avec les mecs,
je le vérifie tous les jours.
Peut-être juste un peu moins avec les Clients,
il faut bien vivre.
Son pied, elle le prend par l'argent et le pouvoir.
– J'ai rêvé, c'est ça ?
– C'est juste un avis.
Mon idée est qu'elle t'a enfumé.
Ce qu'elle cherchait, c'est t'embarquer,
te mettre dans sa poche.
Après tout,
tout le monde au cabinet sait que tu es un peu chaud.
– Ah ouais ?
– Je te confirme.
Je crois qu'elle voulait te soutirer des infos.
Ou bien t'utiliser contre Zeev.
– Ou les deux. J'ai compris.
Dis-moi,
tu pourrais revenir une seconde sur ma réputation ?
– Holà, voilà un bien grand mot.
Ne t'en fais pas, il n'y a rien de grave.
Tu sais,
il y a deux façons de voir dans un cabinet d'avocats.
Il y a ceux qui disent : pas touche au cheptel,
et il y a les autres, qui disent : on tape dans le tas.
– Tu m'éclates, Alexandre.

Et toi, tu te positionnes sur quelle option ?
– Ben je me suis rangé à l'usage général au cabinet.
Je suis partisan de l'option numéro deux. »

Ça me fait du bien de rire de nos conneries,
entre mecs, entre poilus vidant une chope après l'autre,
pas pour se saouler,
juste parce que ça fait partie du plan viril.

« Tom, regarde qui vient de s'installer au bar. »
Je me retourne, crois reconnaître Johnny, de dos.
« C'est Johnny ?
– C'est lui. Un habitué.
Entre chien et loup, tu le trouveras toujours soit ici,
soit au troquet en face du Palais.
– Je l'aime bien ce type. Désabusé, mais humain.
– Tu veux dire, plus humain qu'Isabelle Aubier ?
– Je veux. Ça te plaît, de bosser pour elle ?
– Tu sais, je suis au cab depuis moins d'un an.
Je n'ai pas encore mon mot à dire,
si jamais je l'ai un jour.
– Comment t'es arrivé ? Par leur sélection de stagiaires ?
– Pas du tout. En fait, j'ai presque deux ans de barre.
J'ai débuté chez Judith Karina, tu connais ?
– Je connais personne dans ce métier.
– C'est une pointure en propriété intellectuelle.
Un an plus tard, je plaide pour elle à la première chambre.
En face, Isabelle Aubier, que je ne connaissais pas.
Elle était bonne, mais un rien trop agressive.
J'ai eu de la chance, j'ai raflé la mise.
– Elle t'a sauté dessus à la sortie ?
– Oui, mais pas pour m'engueuler.
Elle m'a proposé la botte, direct.

– Tu veux dire, elle t'a engagé ?
– Sur-le-champ.
Elle m'a demandé si j'étais collab' ou associé.
J'ai dit la vérité : "Je suis en première année."
Ni une ni deux, elle me dit : "Je vous engage,
au tarif UJA augmenté de moitié."
– Le tarif UJA, c'est le tarif syndical ?
– Oui, c'est en général ce qu'on obtient au mieux,
au début.
– Donc en t'offrant une fois et demi le tarif max,
que peut-être tu ne touchais même pas,
elle te faisait une offre qui ne se refuse pas.
– Je te confirme.
– Et qu'est-ce que tu lui fais en échange ?
– Des trucs de fou, si tu savais.
Je plaide, à gauche, à droite, n'importe quoi.
Je prends tout et à l'audience, je fais ce que je peux.
D'après ce que je vois, elle aime.
– Tu as un truc, pour te débrouiller en audience ?
– Affirmatif. Je ne me dis jamais : l'affaire est perdante,
ou nous avons juridiquement tort, ou ça ne peut pas passer.
Pas de pronostics, pas d'angoisses.
Mon truc, c'est qu'on peut toujours gagner,
sur un malentendu.
– Sur un malentendu ? Ouais. J'ai découvert ça avec Éric.
Finalement, elle fonctionne pas mal, cette Isabelle.
– C'est rien de le dire. Elle a beau s'emporter, rougir,
à l'intérieur elle reste froide et si une chose est sûre,
c'est qu'elle mesure très bien son intérêt dans la firme.
Pour te dire les choses, je suis persuadé qu'à terme,
elle va tous les manger, ses associés.
– À ce point ?
– Elle a les deux choses qu'il faut pour ça...
Te marre pas comme une baleine, laisse-moi finir.

D'abord, elle tient les Clients, et c'est essentiel.
Ensuite, tu connais Éric Dressler ?
C'est un dur, beaucoup plus qu'il n'y paraît.
Mais Aubier, c'est une vraie barre de fer,
encore plus dure que Dressler.
– Et toi, là-dedans ?
– J'ai une belle rétro, j'apprends, j'aime ce que je fais.
Mais entre nous, dès que je peux, je m'installe.
– Tu ne penses pas qu'ils t'associeront un jour ?
– Tu te verrais travailler ta vie durant avec ma patronne ?
– À vrai dire, même pas deux jours. »

Un peu trop de bière, et la soirée est bien entamée.
Nous commandons des steaks.
Mon nouvel ami me relance :
« À part ça, tu as l'air d'être sur des coups ?
– Ouais. Je t'ai donné les noms.
Mais ce que je n'ai pas dit,
c'est que je viens de prendre une veste avec Basha.
– Mmmh... m'étonne pas. »
Pas mal, le steak.
« Yep. Et sur Tia et Carole, t'as des infos ?
– Tia est mignonne, tu le sais déjà.
Sinon quoi te dire d'autre ?
Elle a un caractère de cochon.
La garder à l'accueil, c'est une erreur de casting.
C'est dommage, elle pourrait sûrement faire mieux.
Je n'en sais pas plus, on ne se parle pratiquement pas.
– Et Carole ?
– Alors Carole, c'est un beau fantasme.
Tu as vu ses jambes ?
– Pourquoi, tu les as essayées ?
– Secret professionnel.
– D'accord, je respecte.

Tu crois que j'ai mes chances,
avec l'une des deux ?
– Te pose pas la question, fonce.
On ne sait jamais, tu peux y arriver.
– Sur un malentendu... ? »

She Saw Me Coming

And I didn't see a thing

Jeudi, deux heures moins le quart.
Rachel vient remplacer Tia au standard.
J'intercepte ma belle Eurasienne à l'entrée.
« Alors, on se voit toujours ce soir, en copains ?
– Je n'ai pas dit oui, tu t'en souviens ?
À demain, on se verra au cabinet. »

Tu ne vas pas t'en tirer comme ça, ma belle.
En chemise, je dévale les escaliers derrière elle.
« Tu es prise ce soir, Tia, tu veux reporter ? »
Elle s'arrête, me regarde avec un sourire amusé.
« Tu veux qu'on mette les points sur les *i* ?
– Je comprends pas, je ne suis plus ton ami ?
– Oh si, bien sûr. Dis-moi, comment ça va avec Basha ?
– L'assistante de Zeev ? Il n'y a rien entre elle et moi.
– C'est pas faute d'essayer. Tout le monde est au courant.
Tu n'y arrives pas,
malgré tout le temps que tu y passes ?
– Oh ça va, Tia,
c'est franchement nul, ces bruits de chiottes.

– En tout cas,
tu ne m'accrocheras pas à ton tableau de chasse. »

Elle me plante là, sur le trottoir.
J'ai froid.
Bien joué, mon gars.
Il n'y a pas eu de malentendu.

Tu es libre, ce soir.

The Worst

I am the worst kind of guy

Maître Éric Dressler avait mal à la tête. Il pressa la touche 11, « Céline Perrat » s'afficha sur l'écran du standard téléphonique. Le patron commanda un cachet d'aspirine à son assistante personnelle.

Quelques instants plus tard, une jeune femme entra sans frapper, ferma à clé la porte du grand bureau. Dressler, de dos, semblait contempler l'avenue à travers les stores qui maintenaient la pièce dans un clair-obscur reposant. Sans un mot, Céline se dirigea vers la table ovale dont la fonction officielle consistait à accueillir les miniconférences du patron. Elle s'y allongea sur le dos. Ses mains s'appliquèrent à retrousser la jupe de son tailleur de sorte qu'elle se froisse le moins possible. Les stores se baissèrent. Elle ferma les yeux.

Penser à autre chose, à autre chose. Comme à chaque fois, c'était la scène de l'entretien d'embauche qui revenait à l'esprit. Un CV invendable. 32 ans, depuis quatre ans hors du marché du travail, parce que décidée à les consacrer à son premier enfant puis à une seconde grossesse. Avec un bébé de dix-huit mois, les employeurs potentiels avaient la garantie qu'elle ne pourrait leur offrir cent pour cent de son temps.

Elle n'espérait même pas négocier le salaire de son ancien poste d'assistante de direction. Accepter moins et refaire ses preuves. Postuler partout. Internet. Journaux professionnels. Des mois de prospection. Élargir la recherche. Des rendez-vous, elle passe bien, mais pas de suites. Persévérer.

Enfin une bonne accroche avec la principale du cabinet A&D. Brigitte Merle, une sorte de DRH qui s'occupe de la présélection et lui annonce dans un grand sourire qu'elle est retenue avec deux autres candidates pour un entretien d'embauche. Elle sera reçue par Maître Dressler en personne. Pourquoi ce sourire désagréable ? Le même que celui du chargé de compte lorsqu'il « accepte » sa demande de crédit revolving, comme s'il lui accordait un privilège. Jouer le jeu.

Rendez-vous avec l'avocat. Gros nounours à la Orson Welles. Il lui explique les choses, poste à responsabilités, chargée de son agenda, de l'organisation de sa vie professionnelle et privée. Elle ne tilte pas. Il est courtois, presque débonnaire. Relève avec obligeance une ligne du CV – sa formation juridique. Et vu son profil, se montre confiant en sa capacité à assurer un relationnel de haut niveau. Il termine en parlant de salaire. 2 800 euros mensuels par 13, pour le salaire de base. Plus une prime annuelle sur les résultats du cabinet. Statut cadre. Heures supplémentaires incluses dans le salaire. Augmentation substantielle la deuxième année en cas de bonne intégration.

Abasourdie, Céline s'était efforcée de paraître calme. Faire comme si. Comme si elle évaluait froidement cette proposition inespérée. Calcul mental à toute vitesse. 2 800 en brut, compter les trois quarts pour avoir le net, le treizième mois ne compte pas, c'est pour les impôts. Quoi dire d'autre que oui tout de suite. En prévision du rendez-vous, elle avait décidé d'aborder de front la question de l'expérience, préparé un petit discours. Elle se lance, parvient à s'exprimer avec détachement, s'en félicite. Dans sa tête, une calculette imaginaire donne le feu vert pour les heures sup' gratuites, elle aura assez pour payer l'étudiante chargée du relais.

Elle récite, en s'efforçant de paraître convaincue, la série de lieux communs qui s'impose dans sa situation : le challenge lui convient, le métier d'avocat, la vie des affaires, ça l'intéresse, elle redoute son absence d'expérience, et pour être « très franche », son manque de connaissances des procédures judiciaires.

Les mains de l'avocat esquissent un geste d'apaisement. Elle se tait. Il reprend la parole, acte la franchise de ses propos, précise qu'il n'est pas vraiment un avocat de Palais, que sa production papier, c'est-à-dire ses courriers, ses contrats, est peu différente de ce qu'elle sait faire. Les deux parties ont trois mois, la période d'essai, pour juger. Serait-il possible de conclure aujourd'hui ? Ils concluent.

Céline serra les dents. Et si c'était à refaire ? Ce serait oui. Pas à cause du besoin d'argent, ni de la difficulté du marché de l'emploi. Mais parce que c'était une chance à ne pas laisser passer, entrer dans ce milieu valorisant, confortable, sérieux, l'opportunité d'une vraie carrière. Elle ne voyait rien à changer dans cette scène.

Alors s'imposait une autre scène : chez la pédopsychologue qu'elle avait enfin les moyens de consulter pour aider Louis. Pendant que, dans la salle de jeux, son fils aîné combattait les monstres sur PlayStation, Céline s'installait dans le petit bureau. Le point sur les progrès de l'enfant. Le visage agréable de la thérapeute. Les couleurs gaies des murs et des meubles. Sympathie pour cette femme qui lui ressemble.

Et soudain, l'effondrement. La crise de larmes qui surgit violemment, sans rapport avec les propos échangés.

La psy ne bouge pas, observe le défilé de la manifestation sauvage. Enfin, d'une voix douce, elle donne le mot d'ordre de dispersion :

« Vous avez un gros souci, madame Perrat. »

La phrase avait balayé l'orage parasite, le corps s'était calmé. Restait le souci, maintenant posé là, entre elles sur la table, grosse boule gluante. Céline sentit qu'il lui fallait la nommer. Elle essaya. Le malaise revint. Elle se força. Rafale de mots.

Elle dit comme c'était bien les premières semaines la nouvelle vie les projets les magasins plaisir lookée travail chaque journée une victoire être bonne dans ce qu'on fait le respect des collègues assistante du boss les cadeaux aux enfants la carte de visite à son nom le banquier a dû tomber malade il n'appelle plus.

Elle raconta la fin de période d'essai encore des projets c'est bon c'est gagné.

Le flot de paroles s'accélère encore :

« Un soir après un closing qui a duré des heures les clients sont partis il est tard dans son bureau il est bien installé dans le fauteuil de lecture la tension il me regarde la tension était là depuis le début il ouvre sa braguette dit quelque chose sur les bonnes soirées je ne suis pas choquée d'habitude pas choquée je comprends pas c'est un nounours pas un homme avec lequel je pourrais faire ça non c'est pas un nounours je sens un ordre muet il ne m'a pas forcée je pouvais claquer la porte... Après – je n'ose pas le regarder – je me sauve – je rentre à pied – pas choquée – incrédule – quelle histoire – je suis belle – je n'ai jamais dit oui aux mecs dans le travail – encore moins à mes patrons – pourquoi lui... »

Elle est plus calme, les spasmes s'estompent. Elle poursuit sur un ton affermi.

« Ensuite, pas possible de revenir en arrière. Je sais maintenant que le vrai moment où ça a basculé, ça a été le lendemain matin. J'étais libre, après la maternelle et la halte-garderie, libre toute seule dans un café. Je me suis demandé si je devais ou non y retourner. Si je le voulais ou non. C'était dans le même café où, deux ans plus tôt, je me demandais si la trahison de mon mari, ça méritait que, enceinte du petit, je divorce. C'est lui qui a divorcé. Je n'ai rien décidé. Cette fois je veux décider. Je suis libre. Il ne m'a pas forcée. Je ne me suis pas sentie comme on raconte dans les viols. Et pourtant... je m'aperçois que je regarde ma montre toutes les cinq minutes. Je suis en train de m'inquiéter de mon retard. Alors je file reprendre mon boulot... Et voilà. »

Ça va mieux, la chose a disparu de la table. Qu'en pense la psy ? Elle dit n'être pas compétente pour l'aider, que cependant son avis est qu'on ne peut pas parler de liberté de choix dans cette histoire. Elle craint que si cette contrainte inconsciente se perpétue, ce soit très mauvais pour son équilibre. Elle parle d'aide, de groupe de parole, de quelqu'un qui pourrait la suivre. Elle lui demande si ça va mieux maintenant. Céline répond vous savez je suis devenue un cachet d'aspirine. Elles rient ensemble. Céline se rappelle s'être levée, avoir enfilé son manteau, et pris congé en disant d'une voix neutre : « Un jour je le tuerai. »

Highwire

It's just a business

Éric Dressler n'a plus la migraine. Il reprend son souffle, s'essuie le front. On va pouvoir passer aux choses sérieuses.

Pour la énième fois, il analyse les termes du problème. Depuis le début de l'année, le décalage entre les chiffres d'affaires respectifs des associés se confirme. S'il apporte 40 % des recettes, et Isabelle, comme Ange, entre 20 et 25, Zeev stagne à 10 % et Johnny à 5. Après seulement quatre ans d'association, il est trop tôt pour tirer des conclusions définitives, mais il est de plus en plus clair que cette année encore, la croissance interne reposera essentiellement sur lui. Pas question de s'en contenter, d'avancer à un train de sénateur, s'il veut réaliser son objectif : parti de rien, bâtir une Full Service Law Firm, prendre place parmi les tout premiers cabinets français de taille à accompagner les groupes les plus importants en Europe.

Tôt ou tard, et le plus tôt sera le mieux, il faudra bien que soit traitée l'hypothèse Patrick Eudeline. Seul moyen de franchir rapidement un nouveau cap. Associer ou non Eudeline, qui marche fort et réalise déjà un chiffre égal à 65 % de celui du cabinet ? Les chiffres sont parlants ; les domaines d'intervention compatibles; les compétences complémentaires; et Patrick est demandeur.

La difficulté : en termes de prestation, le produit Eudeline est d'une qualité médiocre, voire douteuse. Aux oreilles d'Éric est parvenue la formule rédhibitoire : le confrère Eudeline est un faiseur. Tout le cabinet risquerait de pâtir de son image.

Oui, mais les chiffres parlent, et les faits sont têtus.

Il note sur son agenda *RDV AN*.

Sonder Ange, dans un premier temps. Monter le coup avec lui. Ensuite, y aller en douceur avec Isabelle, lui donner des garanties. Zeev et Johnny suivront.

Satisfait de son plan, Éric vérifie sur l'agenda le programme de la journée; première tâche, puisqu'on est vendredi : *vac gestion*, prévue à neuf heures et demie. Objet de la réunion : situation de la trésorerie, des brouillards de banque, point sur la facturation, état des encaissements, traitement des notes d'honoraires dehors. La seule réunion qui importe vraiment.

Céline s'est éclipsée et a rejoint son bureau, contigu à celui du patron; pendant les trente minutes qui suivront le signal donné, elle interceptera toute communication, et s'attachera à ce que personne ne le dérange physiquement, cette interdiction visant également les membres du cabinet.

Les deux seuls invités sont maintenant admis à rejoindre le bureau sanctuaire. Que montent Brigitte Merle, la principale, et Franck Plu, le caissier comptable, entonner l'ode au Chiffre.

Le tandem vient prendre place à la table ovale.

Éric soupire d'aise, la journée de travail peut vraiment commencer. Il appelle Céline pour donner le signal convenu, mais celle-ci l'interrompt :

« Je suis en ligne avec Madame Rossetti, elle insiste pour...

– Passez-la-moi. »

Bref échange, puis Éric rappelle Céline. Voix dure :

« Vous faites monter Thomas, le stagiaire de Zeev, ensuite plus personne. »

Brigitte et Franck, debouts devant la table ovale, attendent, immobiles, le souffle retenu. Deux minutes plus tard, Céline introduit Thomas. Éric fixe le stagiaire et demande d'une voix sourde :

« Thomas, que s'est-il passé dans le dossier Rossetti ? »

Money

Money don't get everything it's true
What it don't buy I can't use
I want money

Vendredi matin, neuf heures et demie.
Après le brief autour de Zeev, j'ai retroussé les manches.
Conclure dans un dossier de recouvrement de créances.
Dossier simple, devant le tribunal de commerce.
« Pour vous faire les dents », a dit le boss.

Le poste téléphonique sonne discrètement.
« Thomas ? Céline, l'assistante de Maître Dressler.
Pouvez-vous le rejoindre immédiatement dans son bureau ?
Immédiatement, s'il vous plaît. »

J'y cours, réenfilant ma veste au passage.
Un peu froissée, pas le choix...
Céline m'attend à l'entrée du couloir
qui dessert l'aile Dressler-Navale du cabinet.
Elle m'introduit dans le saint des saints.

Vaste pièce, sobre, classieuse, fonctionnelle.

Couleurs gris perle, blanc, noir, éclairs de chrome.
En face de moi, qui suis resté sur le pas de la porte,
Éric se tient debout, devant son bureau.
À ma droite, le « coin salon »,
canapé et fauteuils de cuir noir.
À ma gauche, le « coin conférence »,
une table ovale, six sièges de bureau.
Et devant, ma meilleure copine, Brigitte Merle,
raide comme l'injustice,
dans l'œil un soupçon de jubilation.
À côté d'elle, également debout,
une caricature de comptable,
un visage pâle déplumé qui doit dormir avec ses outils,
sa pile de dossiers siglés Confidentiel et,
en guise de presse-papiers,
une vilaine calculette
à cadran numérique et trois mille touches.

Personne ne me dit bonjour.
Je respecte les coutumes.

La roquette est tirée par Maître Dressler :
« Thomas, que s'est-il passé dans le dossier Rossetti ? »

Pâmoison à ma gauche.
Si Brigitte est dans tous ses états,
c'est que j'ai un vrai risque de morfler.
Je ne réponds pas assez vite.
Éric me pilonne :
« Je viens de parler à la Cliente.
Des voisins lui ont dit
qu'à la sortie de la réunion des copropriétaires,
vous auriez agressé l'avocat du syndic.
Puis-je avoir votre version des faits ? »

Je la croyais classée, cette triste histoire. Autant avouer :
« À la sortie de cette réunion,
il y a eu un peu de bousculade entre l'avocat et moi.
Rien de grave pour personne.
J'ai immédiatement reporté.
Maître Rohach a résolu la difficulté.
– Vous avez conscience de la portée de cette...
bousculade ?
– Oui, et d'ailleurs, j'ai offert ma démission.
– Et si c'était à refaire ? »
Piège. Que répondre ? Une, deux, trois, go !
« Si ce genre de situation devait se reproduire,
je vous appellerais d'abord pour avoir la permission d'agir.
– Bien. »
La voix d'Éric est moins dure quand il m'en remet une :
« Je vous signale avoir également été informé par Isabelle
que votre attitude au cabinet est quelque peu... cavalière. »
Sur ce coup-là, je ne réponds pas. Pas fou.
Impossible d'attaquer Isabelle devant les deux autres,
que je vois se délecter comme des charognards.
« Vous restez là, reprend Éric, que je jurerais amusé.
Nous traiterons Rossetti après ma réunion. »

Il me désigne du doigt le canapé, rejoint les deux
épouvantails,
et je reprends ma respiration.

Les trois s'assoient à la table de réunion.
« Allez. Assez perdu de temps.
Franck ? On commence par la tréso. »

Le beige assène les infos d'une voix monocorde.
Comptes bancaires créditeurs sur les trente derniers jours.
Puis il pose, tristement, une question de fayot :

Faut-il investir l'excédent dans des SICAV de trésorerie ?

Dressler décachette un cigare ;
il réfléchit, savourant le moment.
Fin de contemplation du barreau de tabac.
Il rappelle, avec un agacement simulé,
que sur ce compte courant sont prélevées
les échéances du prêt immobilier du cabinet.

« J'ai bien sûr tenu compte de ce prélèvement, précise Franck.
Le compte reste créditeur, et c'est pourquoi je me suis dit que... »

Le regard du Maître le foudroie.
Franck se mord la lèvre, comprend son erreur.
Il n'y avait rien à préciser,
le patron avait parfaitement compris.
Il semble mortifié de l'avoir oubliée,
la fameuse clause du contrat de prêt,
qui prévoit une remise financière sur l'échéance mensuelle,
lorsque le compte bancaire est créditeur pendant un mois.
Donc, aucun intérêt à faire plonger le compte
en achetant des SICAV.
Donc sa question était stupide.

Éric marque le coup, garde le silence pendant un instant
qui paraît interminable au comptable pris en défaut.
« C'est OK sur la trésorerie », finit-il par annoncer.

Je perçois sa bonne humeur à l'intonation de sa voix.
Optimiser le cash,
le paradis serait de n'avoir que ce genre de problèmes.

« Passons à la production », ordonne le patron.
Illico, Franck se met à causer facturation.
Un chiffre est donné pour chaque associé.
Au troisième trimestre 2006, par rapport à 2005,
on constate une augmentation de chiffre d'affaires,
tout comme une croissance du pack de Clients.
Éric note à haute voix que c'est encore lui
qui réalise la meilleure performance,
à + 13 %.

Le patron se tourne vers Brigitte :
« La production en cours ? »
La principale présente un tableau,
simple mais impitoyable, que Basha m'avait déjà dévoilé.
21 lignes, une par avocat,
les 5 associés et les 16 collaborateurs.
Pour chacun, le nombre d'heures facturées en septembre,
le montant des honoraires correspondant,
le montant des honoraires reversés à l'avocat.
Et enfin, dernière colonne :
la soustraction des deux derniers chiffres,
honoraires facturés moins honoraires rétrocédés,
égale la marge apportée par l'avocat au cabinet.

Dressler pointe au crayon chaque chiffre.
Il encercle un nom, montre la ligne à Brigitte
et, d'une voix glaciale, l'interroge :
« Il a pris des vacances ? »

La principale se penche sur la feuille,
comme si elle n'avait pas repéré, en préparant le tableau,
le pauvre collab' qui a facturé moins de 120 heures.
Un clic de souris sur l'écran de son PC portable.
« Pas de congés en septembre pour Maître Brentana. »

Devançant une nouvelle injonction, elle clique encore.
« Il n'était pas non plus en mission non facturable.
Ni d'ailleurs... un instant...
Non, pas non plus en formation à l'EFB.
– Bien, vous me le faites monter pour 10 h 30.
Vous préparez un tirage papier de ses dossiers facturés,
et une liste de tous les dossiers dont il a la charge.
– Dois-je copier Ange ? Guillaume est dans son équipe... »
Éric sourit à Brigitte. Une vraie pro, se dit-il,
efficace sans jamais oublier de se couvrir.

Sur le moment, j'ai pensé : il est peut-être tombé malade.
Que se passe-t-il dans un tel cas ?
La réponse me sera donnée, encore par Basha,
déjà au cabinet quand Brigitte fut engagée.
C'est la principale qui, dès son arrivée,
avait expliqué aux associés l'évidence :
un fichier *maladie* pour les collaborateurs est inutile,
pour la bonne raison qu'un avocat n'est pas un salarié.
Être malade est son problème,
pas celui du cabinet.
À lui de se débrouiller avec ses dossiers.
Et donc, avec sa facturation.
Les associés tombent-ils malades, eux ?
Approbation muette, et ravie, des patrons.

À l'instant où Éric va répondre à Brigitte,
Ange Navale apparaît à la porte du bureau.
Avec ces trois-là penchés sur son cas,
le pauvre collab' risque la correctionnelle.
Mais au visage défait que nous offre Navale,
je capte que quelque chose de bien plus grave est arrivé.

Éric lève les yeux vers son associé :

« Tu tombes bien, Ange...
– Éric, j'ai besoin de toi...
– Je m'en doute, tu n'as pas l'habitude de me dér...
– Éric, Isabelle a été agressée hier à Aurillac.
Elle est dans le coma. »

Hand Of Fate

The hand of fate is on me now
Wish me luck I'm gonna need it

Ange tend un feuillet à Éric :
« Lis, c'est le mémo qui vient d'arriver par mail. »
Zeev et Johnny entrent à leur tour dans la pièce.
À leur suite, les assistantes des associés.
Je ne respire plus.
Personne ne fait attention à ma présence.
Éric, d'une voix neutre, lit pour tout le monde.

De : Guy Derrien
À : Parina

Importance : Haute.

Objet : Dossier EUROFIN c/ Ets Faivre.
Accident Isabelle Aubier

Suite à mon appel, et sur instruction de AN, je résume les événements.

EUROFIN créancier des Ets Faivre à Aurillac.

Ets Faivre de mauvaise foi, ne paie plus les livraisons depuis deux mois sous prétexte que notre Cliente surfacture.

EUROFIN nous a demandé de recouvrer à boulets rouges.

IA a obtenu sur requête (à Paris) de saisir les comptes bancaires Faivre dont nous avons trouvé les coordonnées dans les agences locales.

L'adversaire a cru devoir agir en mainlevée de la saisie.

Audience hier après-midi à Aurillac.

J'ai monté le dossier mais l'audience a été assurée par IA sur demande du Client.

Au tribunal, le bureau du président était noir de monde, le confrère adverse présent avec dirigeants et cadres de l'entreprise.

Ils ont plaidé que la mainlevée est nécessaire pour pouvoir assurer la paie des employés locaux.

IA n'a rien pu faire.

Président (scandaleusement partial) a ordonné la mainlevée sur tous les comptes.

IA très énervée.

Nous sommes sortis rapidement.

À l'extérieur, une manifestation des employés (plusieurs dizaines).
IA et moi avons été pris à partie.

Leur patron a voulu les calmer en annonçant qu'ils avaient gagné.

Un syndicaliste criait dans un porte-voix, il y a eu des insultes (Retournez dans votre pays, on n'est pas des Irakiens), et une bousculade.

IA est tombée en arrière, du perron du tribunal.

Trois mètres de chute. Sa nuque a cogné l'angle d'une marche.

IA hospitalisée Aurillac, dans le coma.

J'ai passé la nuit là-bas.

Diagnostic ce matin à 8 h 45 : état comateux, stationnaire.

Médecins réservés.

Attends instructions.

Silence dans le bureau.
Sont maintenant présents les quatre associés valides, et Basha, Nathalie, Céline et Parina, les assistantes.
Brigitte Merle s'est postée devant les filles, un bloc en main.

Éric donne les instructions que tout le monde attend :

« Céline.
Vous appelez toutes les deux heures à l'hôpital.
Vous me tenez au courant.

(Céline note.)
Vous annulez les rendez-vous d'Isabelle jusqu'à mardi.
De mercredi à vendredi,
vous maintenez ceux que les collaborateurs peuvent assurer.
Pour les audiences, euh...
demandez à Alexandre Svidler de se débrouiller.
(Parina note.)
Brigitte.
Vous réunissez tout le monde lundi matin à 9 heures,
je ferai une communication à l'issue du week-end.
(Brigitte note.)
Maintenant laissez-nous. »

Le bureau est immédiatement évacué.
Seuls restent Ange, Zeev et Johnny.
Je me lève discrètement, mais Éric m'interpelle
« Ah, Thomas... le dossier Rossetti ! Nous en reparlerons. »

Je file.
Vivement l'heure du déjeuner,
j'ai des choses à demander à Basha.

Some Girls

Some girls get the shirt off my back
And leave me with a lethal dose

Je quitte le département business du cabinet,
établi à l'aile gauche des locaux,
où travaillent les équipes de Dressler et de Navale.
Une vingtaine d'abeilles en action dans cette ruche.
Tension, concentration, stress permanent.

Je traverse le secteur Aubier,
regroupé au centre du U que forme l'appartement.
Silence de circonstance, collaborateurs abattus.
Même Alexandre a perdu son entrain habituel.
Un clin d'œil à Parina qui va devoir tenir la baraque,
et à Antoinette la secrétaire, dont le visage reste fermé.

Je rejoins mon repaire,
dans l'aile droite du cabinet
où sont logés Rohach et Micoli.
Ambiance studieuse, personne avec qui partager
la nouvelle qui occupe forcément l'esprit de tous.
Comme s'il fallait du temps pour la digérer.

Je prends le temps de penser à Isabelle,
et aux implications de l'accident.
Je n'ose imaginer le pire, et pourtant.
Si la pièce maîtresse disparaît, ça ne change rien ?
C'est terrible, l'impression que tout ça dégage,
les affaires continuent, le cabinet tourne.
Éric n'a pas eu un mot de commisération.
S'il était sous le choc, il le cache bien.
Et les autres ? Muets, sans réaction,
comme s'ils s'en remettaient au patron.
Comme si c'était *son* problème.

J'élude. Ne plus penser à ce qui se passe ici,
parce que les conclusions à en tirer seraient...
Je me raccroche aux prochains coups à jouer
pour espérer enfin rentabiliser mon stage.
Comment reprendre le sentier de la guerre
après plusieurs passes d'armes infructueuses ?

Bientôt 13 heures.
Le moment de tenter quelque chose de nouveau.
Direction la cuisine salle de repos,
fours à micro-ondes et machines à café.
Assistantes et secrétaires y entrent et en sortent.
Basha est attablée devant une assiette de crudités.
Nous échangeons quelques mots à propos de l'accident,
puis je réoriente sur des préoccupations plus immédiates :
« Dis-moi, Basha, depuis mon arrivée,
je me retrouve chaque midi
au régime sandwich et balade solitaire dans le Marais.
Y a mieux ?
– Oh oui, et en plus, ça est simple. Tu peux choisir.

Il existe trois manières de déjeuner au cabinet :
le restaurant branché avec les associés et des Clients,
ouuu...
le resto diététique avec les avocates collaboratrices,
ouuu...
les surgelés dans la cuisine avec le petit personnel.
Je plaisante pour la troisième...
– Et les collaborateurs mecs, ils font quoi ?
– Pour les garçons, c'est très cool.
Ils choisissent entre leurs deux envies :
la une : faire carrière, ou la deux : draguer.
Dans le premier choix,
ils intriguent auprès des associés,
pour s'incruster dans le déjeuner d'affaires.
S'ils préfèrent la seconde possibilité,
ils vont avec les collaboratrices,
manger de la verdure et des graines,
boire du thé froid ou du jus de carotte,
dans l'espoir d'intéresser une avocate.
– C'est bien nul. Tellement hypocrite.
Je te laisse. Bon appétit, Basha. »

Je me carapate de la cuisine.
Basha m'a donné un tuyau d'enfer.
Nul de ne pas y avoir pensé plus tôt.
Rapatriement rapide vers l'aile droite.
Objectif : Ysé.
Bingo, elle est sur le point de partir déjeuner.
J'y vais à donf :
J'adore la salade,
je suis fan de diététique,
je me sens concerné par la bioéthique,
d'ailleurs...
Elle m'arrête.

« C'est bon, Tom,
viens déjeuner avec nous si ça te fait plaisir. »
Évidemment, elle n'en a rien à cirer.
Tant pis, il n'y a pas qu'elle sur terre.
Et me voilà dévalant les escaliers
sur les pas de cinq jeunes avocates,
bien plus comestibles que des graines de soja.
Et – bien joué Tom – mon vœu secret se réalise,
puisqu'elle est des nôtres, Carole, ma promise.

Ethic Bar.
Le snack version 2006.
Peu de jambon dans le pain,
beaucoup d'oseille sur le zinc.
Le concept absolu.
Vingt minutes de queue, quasi féminine
à une ou deux exceptions près dont moi.
Choix de fruits et légumes exotiques.
Boissons à l'eau de source ou thé bio.
Soupes glacées dans un gobelet de polystyrène,
choix du jour potiron/amande ou châtaigne/menthe,
et dans les deux cas, la gourmande est déculpabilisée :
50 % du prix des soupes va directement aux victimes de...
reportage photo à l'appui, tsunami, ruines, lagons verts.

Nous nous serrons autour d'une table,
sur des sièges haut perchés,
où l'on pose une demi-fesse,
dans le bruit.
Le bruit,
c'est exprès,
pour signifier qu'il y a foule,
qu'on est dans un lieu à la mode.
Allez, on vit une jeunesse dorée.

Je bois de l'eau sucrée à l'édulcorant
pour faire passer le plat de résistance,
dix grammes de poisson cru perdus dans ma pita.
Je comprends pourquoi elles y vont entre meufs,
à l'Ethic Bar ou ses clones tout autour du quartier.

Je me branche sur leur tchat.

« Qu'est-ce qu'on en dit, chez vous ? »
La question vient de Delphine,
la sportive collaboratrice de Johnny.
Elle est adressée à une rousse et une brune,
la petite Marie,
et la grande Gaëlle,
deux collaboratrices d'Isabelle.

« Vous voulez vraiment savoir ? répond Marie.
À part Guy, qui nous a appelés d'Aurillac,
tout le monde pense qu'elle va s'en sortir. »
Gaëlle confirme le propos d'un demi-sourire.
Carole, comme par hasard assise près de moi, relance :
« Et entre nous, vous deux, c'est quoi votre avis ? »

La curieuse masque son inquisition en regardant ailleurs,
avec tapotement de cuillère en plastique sur la joue.
Décidément, j'adore son tailleur.
C'est Marie qui crache le morceau :
« Notre avis, tu le devines, non ?
Qu'elle se fasse agresser par des adversaires,
c'est bien fait, elle le mérite. »

Gaëlle :
« Des fois, on dirait même qu'elle le cherche. »

Delphine :
« Ça veut dire quoi, ça, qu'elle le cherche ? »

Marie :
« Oh toi Delphine tu bosses avec Johnny,
on dirait que tu es aussi évaporée que lui. »

Carole :
« Allez-y les filles. Donnez un exemple à Delphine. »

Marie :
« Tiens, regarde ce qui s'est passé,
pas plus tard que mercredi à l'accueil... »

Carole :
« Bon exemple.
T'as remarqué que Rachel n'était pas au desk ? »

Delphine :
« C'est juste. Elle était malade ? »

Marie :
« T'as déjà vu quelqu'un en arrêt maladie au cabinet ? »

Carole :
« Dites-lui ce qu'elle faisait, Rachel, mercredi après-midi. »

Gaëlle :
« Isabelle l'a envoyée rue Cambon échanger ses chaussures neuves. »

Delphine :
« Pendant son travail ? »

Ysé :
« Vous voulez des desserts, les filles ? »

Interruption générale.
Choix très attentif de la gourmandise diététique finale.

Marie reprend :
« Des chaussures sur mesure de chez Chanel,
tu te demandes ce qui n'allait pas... »

Delphine :
« Elle n'est pas gênée,
avec une seule standardiste à l'accueil ! »

Marie :
« C'est pour ça que les assistantes se sont succédé au desk,
pour remplacer la standardiste transformée en coursier... »

Delphine :
« Elle est *vraiment* pas gênée.
Et les deux assistantes n'ont rien dit ? »

Gaëlle :
« Non mais faut pas rêver, tu les vois refuser ? »

Marie :
« Rachel est standardiste, même pas assistante. »

Gaëlle :
« Attends, Marie, tu oublies que Tia est aussi au standard,
Mais à elle, Isabelle ne demande rien.
Et tout le monde sait pourquoi. »

Moi, en aparté à Carole :

« Pourquoi ? »

Carole, d'un air complice :
« Parce que Tia a un caractère de cochon. »

Marie, d'un air gourmand :
« Mais quand même, pauvre Rachel !
Vous vous rendez compte,
Isabelle lui demande de se balader avec en main
des chaussures qui valent quasiment
un mois de son salaire.
Je suis dégoûtée... »

Delphine :
« Elle est un peu nulle, cette Isabelle... »

Gaëlle, sombrement :
« Elle est surtout nulle en droit. »

Marie, ravie :
« Oh là, t'exagères un peu... »

Elle s'interrompt, se penche en avant, et reprend à voix basse :
« Regardez à l'entrée, pas mal non ?
C'est un collab' de chez Clifford. »

Gaëlle :
« Non, je le connais, il est chez Baker. »

Carole :
« Tu es sûre ? »

Ysé, un peu sèchement à mon avis :

« J'ai entendu dire que votre patronne est dans le coma. »

Marie :
« C'est vrai, on est un peu dures...
Elle ne méritait pas ça... »

Gaëlle :
« Elle ne mérite pas de mourir, c'est clair... »

Carole, dans un grand sourire :
« Mais si elle pouvait vous foutre la paix
quelque temps... »

Les cinq se regardent,
le babil se suspend quelques secondes.
Ma chaussure effleure le mocassin de Carole.
Pas de réaction.
Mon genou rejoint le sien.
Un instant de collage.
Sa jambe finit par se dégager.
Une éternité de promesses.
Je sais plus où j'habite.
Je me lève, propose des cafés.

Quand je reviens,
Marie est en train de raconter
l'histoire d'un avocat caractériel
qui, après une opération du cancer,
est revenu à son cabinet encore plus dur qu'avant.
Comme si, renchérit Gaëlle,
en avoir réchappé augmentait la confiance en soi,
et donc la propension à l'intransigeance.
« Ça promet », conclut Carole.
« Si elle en réchappe », complète Delphine.

Marie convient qu'elle ne peut pas croire
à l'hypothèse de la mort d'Isabelle.
Trop méchante pour mourir.
Rires.

Ysé fouille dans son sac.
Cigarettes, signal du départ.
Pour fumer, il faut obligatoirement sortir.
Quelle aubaine pour la rotation, se dit le patron.
La conversation se poursuit à l'extérieur,
se perd dans de vagues considérations
sur un week-end shopping à Londres.

Les cigarettes s'allument.
Je fais signe à Ysé que je m'éclipse,
m'appliquant à ne pas avoir un regard pour Carole,
tout ça pour ne pas avoir l'air d'être à la remorque.
À vrai dire, aucune ne semble le remarquer.

Quelques minutes après les filles,
je remonte au cabinet.
Je salue Rachel,
vaillante standardiste de l'après-midi.
Elle se marre en me voyant.

« Quoi, Rachel, j'ai un bouton sur le nez ?
– Tu devrais aller aux toilettes, si tu veux mon conseil. »

J'y vais.
Dans la glace, je contemple la presque catastrophe :
du rouge autour de la bouche, un peu sur le menton.
Démaquillage.
Je retraverse le hall.
Rachel m'interpelle :

« Ketchup ? Le McDo, c'est indispensable après l'Ethic Bar...
– Non. Harissa. Je me suis arrêté chez le Turc... »

Un bon gros sandwich-kebab-frites
et un vrai Coca bien sucré,
c'est ce que j'ai trouvé de mieux
pour recharger les accus du stagiaire.
À ta santé, Isabelle,
ta réputation de pitbull te rend presque sympathique.
Et puis, si tu devais mourir, tuée par une manif de la CGT,
en défendant des intérêts financiers globalmachin,
ce serait une belle fin pour une avocate d'affaires.
Non ?

Non.
La vérité est que je viens de passer presque une heure
à entendre parler d'une mourante
sans que ça n'émeuve personne.
Seule Ysé, à la limite, s'est tenue à l'écart de la curée.
Mais Ysé, c'est pas pour bibi. Alors que Carole...

My Obsession

My obsession is your possession

Cabinet d'avocats A&D, lundi 30 octobre.

Dans le hall, une quarantaine de personnes fait cercle autour de Maître Dressler, doyen des associés.

Le brouhaha cesse dès qu'Éric prend la parole. En bras de chemise, campé sur ses jambes légèrement écartées, le menton imperceptiblement levé, il capte l'attention de tous dès que sa voix emplit l'espace. Sans dramatiser, il fait le point sur ce qu'il appelle l'accident.

D'abord, le bulletin de santé communiqué une heure plus tôt par l'hôpital d'Aurillac. Pas de changement pendant le week-end. Isabelle Aubier est toujours dans le coma, son état est stationnaire, le pronostic vital reste réservé.

Dressler ne laisse rien transparaître de sa tension intérieure. Isabelle, associée fondatrice de la firme, est en train de mourir stupidement. Avec cet accident apparaît un point de fragilité du cabinet. S'il en est le pilote, Isabelle en a été depuis le début le moteur, par son volontarisme, son ambition, l'emprise que sa force exerce sur les autres. Froidement, Éric s'est astreint à planifier les mesures à prendre. L'avenir du cabinet sera abordé tout à l'heure, entre associés. Dans l'immédiat, il doit traiter le risque de désarroi, de démobilisation de l'équipe.

Sa voix s'éclaircit alors qu'il poursuit :

« Je veux maintenant être direct, nous avons à regarder les choses en face. La vérité est qu'Isabelle a peu de chances de se réveiller de son coma. Son mari a envoyé le médecin de la famille sur place. Le professeur Nielsen confirme le diagnostic des médecins locaux, mais ajoute que ce coma, en se prolongeant, diminue la probabilité d'un retour à la conscience. Il faut nous préparer au pire, je regrette d'avoir à le dire. Nous avons également demandé quel serait son état si elle se réveillait. Là encore, la réponse est alarmante : la sortie du coma n'est pas exclusive de séquelles définiti... »

Un tintement discret depuis la porte d'entrée distrait l'attention. Tia ouvre à un Johnny chiffonné de la tête jusqu'au bout des chaussettes.

Éric reprend :

« Nous redoutons donc, en cas de survie, des séquelles impliquant des dommages irréversibles au cerveau. Voilà exactement ce qu'on peut dire de la situation. Nous ne pouvons et n'avons rien à faire d'autre que continuer, chacun à son poste, en restant solidaires. Je compte sur vous. Pour le suivi des dossiers et des Clients, Brigitte Merle fera passer une note d'information en fin de matinée. Bon courage à tous. »

La dispersion est silencieuse. Éric vient de provoquer un choc dans une équipe confrontée certes à une annonce de mort, mais aussi – déjà – aux conséquences de cette annonce : le cabinet fonctionnera désormais avec un seul leader.

Éric fait signe aux associés de le rejoindre aile gauche.

Autour de la table de conférences du bureau de Dressler se retrouvent les quatre associés, sans dossiers, sans témoins. Un long silence les réunit et les concentre sur ce qui va suivre, cette réunion qui, sans le dire, est clairement perçue par chacun comme capitale. En quatre ans, ils n'ont connu que des problèmes de croissance. Tout a marché. Chacun d'eux a confirmé les qualités que les autres escomptaient voir mises au service du groupe. Ils ont fait la preuve que leur association fonctionnait idéalement quand tout va bien. Pour la première fois, un vrai coup dur. Du point de vue d'Éric, il y a là une opportunité. Il va jouer le coup à son rythme, sûr de lui, de son impact, de ses intuitions, de son charisme.

« Bon, les gars, va falloir se remonter les manches, on a les dossiers d'Isabelle à suivre, et puis... (il fait mine d'hésiter) il va bien falloir discuter de ce qu'on fait si jamais... si jamais c'est définitif. »

Éric se recule sur son siège, regarde ses trois compères l'un après l'autre, d'un air amical, attendant la relance.

Ange, en retrait mais très attentif, n'a pas pour habitude de se découvrir sans avoir toutes les informations disponibles ; il se tait.

Johnny, affalé sur son siège, s'étire, grimace, contemple ostensiblement le sol. Son retard de ce matin est désapprouvé, mais s'excuser est au-dessus de ses forces. Il suit.

Zeev, sur ses gardes à chaque fois que son associé en rajoute dans la proximité, s'est placé en alerte orange dès qu'il a entendu Éric dire « les gars ». D'habitude, il réagit en mettant les pieds dans le plat, opposant à la langue de bois son parler vrai et un style direct. Il aime plonger, assumer ce qu'il pense. Aux autres de se positionner par rapport à lui. Et Éric le sait. Donc Éric, utilisant habilement l'émotion du moment, est en train de le provoquer, pour l'amener à suivre sa pente naturelle : se découvrir.

Alors Zeev temporise. Il ouvre la main, index et majeur tendus, sous le nez de Johnny, attend que son ami lui passe une cigarette. Quelques secondes pour réfléchir. Il pense à une autre éventualité : Éric, loin de vouloir qu'il fasse le premier pas, tenterait au contraire d'amener Zeev à lui demander de parler le premier, pour prendre l'ascendant sur toute la table sans donner l'impression de le vouloir.

Johnny actionne son briquet. Les regards des deux se croisent, le temps pour Zeev d'allumer sa cigarette, et de lire au-delà de la flamme, dans les yeux de Johnny, un serein : « Laissons-le parler. »

Zeev se recale dans son fauteuil. Il passe.

Éric a compris. Il refait la donne.

« Je sens que tout le monde est impacté. Je le suis aussi. Mais je ne vois pas d'utilité à ce que nous nous laissions abattre. Nous allons traiter les problèmes ensemble, comme toujours. Le premier, comme je disais, est le suivi du portefeuille d'Isabelle. »

Toujours pas de réaction, ni à droite d'Éric, où Ange continue à jouer à l'automate imperturbable, ni à sa gauche où Johnny semble perdu sans son starter matinal préparé par Basha. Zeev n'a plus trop le choix :

« OK sur ce point je ne vois pas le problème. Tu connais tous les Clients du portefeuille d'Isabelle pour les avoir rentrés avec elle. Ses dossiers ont la même config' que les tiens, 99 % de droit des affaires. Pourquoi poses-tu la question de cette manière, qu'est-ce qui te préoccupe ? »

Éric tire un coup de chapeau mental à son partner. En trois phrases, Zeev renverse la question et met n'importe quel adversaire sur la sellette, même de bon matin. Le jeu peut vraiment démarrer.

Éric :

« Je vais parler un peu brutalement. Isabelle part deux semaines à Hong-Kong, il n'y a aucun problème de suivi, je supervise, je coache son équipe, vous ne m'en entendez même pas parler. Mais Isabelle dans le coma, pour un temps indéfini, voire plus si j'ose dire, je ne peux pas assurer. Sur ce coup-là, va falloir aller au charbon. »

Ange, sans bouger un cil :
« Qu'est-ce que tu suggères ? »

Johnny lève les yeux du sol, un regard qui dit : Tiens donc, tu rentres déjà dans le pot ? » Pour sa part, Zeev n'est guère surpris. Ange a toujours pris le parti d'Éric dans les réunions où la tension s'établissait entre les deux pôles du cabinet, Éric et Isabelle. Que ce matin, il ouvre la voie pour Éric, pourquoi pas ?

Éric :
« Je pense que nous devons mettre en place une solution de longue durée, tout en espérant bien sûr qu'elle se révèle temporaire. Dans cet esprit, il s'agit de faire jouer notre solidarité : nous nous y mettons tous. Concrètement, je reprends à mon compte les Clients que je traite déjà avec Isabelle, et vous vous partagez de manière égale tous ses autres dossiers. Ses quatre collaborateurs seraient affectés, chacun, à l'un de nous. »

Johnny :
« Tu prends laquelle ? »

Zeev :
« Johnny, attends un peu, s'il te plaît. Éric, c'est quoi cette fausse équité ? Tu sais bien que Johnny et moi ne travaillons pas vraiment sur les domaines d'intervention d'Isabelle, tandis que toi et Ange... »

Ange :

« D'accord avec toi sur le constat, Zeev. Mais va jusqu'au bout : tu ne serais pas en train de suggérer que sur tout le pack de dossiers d'Isabelle, ce serait à moi et Éric de nous débrouiller seuls ? »

Cet argumentaire, c'est pour Éric un nouveau témoignage du seul point faible connu chez Ange : la rivalité qu'il entretient avec Zeev. Lequel sourit, hochant la tête avec condescendance, comme s'il venait d'entendre la provocation d'un garnement.

Éric reprend le lead :

« Quelqu'un a une autre idée ? »

Johnny :

« Oui, toi. Je me trompe ? »

Même lui est très bon, malgré ses airs de fêtard à la dérive, se dit Éric. La sèche relance de Johnny réjouit le négociateur professionnel, maintenant bien lancé.

Éric :

« Non, Jean-Philippe, tu me connais bien. Tu sais que j'aurai autant d'idées que nécessaire pour que nous nous mettions tous d'accord sur l'une d'entre elles, qui de ce fait deviendra la meilleure des solutions. »

Johnny :

« Je t'en prie, nous t'écoutons. »

Éric :

« Si vous le voulez, prenons les choses autrement. Exprimons notre solidarité par de la bonne volonté. Faisons une revue des dossiers d'Isabelle. J'assumerai tout ce qui est strictement droit des affaires, avec Ange bien entendu. Et si vous en êtes d'accord, je m'occuperai de tout ce qui concerne le client FINHOLD, je connais bien Hagen que je vois souvent en Suisse. Johnny suivrait le volet pénal des dossiers. Zeev, tu es toujours civiliste ? Isabelle ne fait pas de droit civil, mais tu pourrais t'occuper du volet social des dossiers, qu'en dis-tu ? »

Johnny :
« Moi je dis que les Clients d'Isabelle me cassent les... »

Zeev :
« Laisse-moi un peu parler, Johnny. On va remettre les choses dans le bon sens. Isabelle revient, elle reprend ses dossiers, tout va bien. Chacun a bossé gratuitement pour elle, elle a bénéficié de notre boulot qui restera crédité à son chiffre d'affaires. C'est normal, c'est la solidarité, comme dit Éric. Maintenant, si Isabelle ne revient pas, son chiffre d'affaires va à qui ? »

Éric :
« Tu es au cœur de la vraie question, Zeev. Pour être clair, nous parlons du sort d'un chiffre d'affaires de tendance croissante, qui devrait dépasser 800 kiloeuros en 2006. »

Johnny :
« Merci, Éric ! Là, tu nous vends une opportunité, parce que Zeev et moi, à deux, faisons moins qu'Isabelle toute seule. C'est bien ça l'idée ? »

Éric :
« Je dis juste que le chiffre d'affaires d'Isabelle nous concerne tous les quatre. »

Ange :

« Essayons d'avancer. La question est de récupérer, et vite, les Clients d'Isabelle avant qu'ils aillent voir ailleurs. Ceux d'entre nous qui s'y mettront devraient se faire attribuer le chiffre correspondant. On avance ? »

Johnny :

« On avance. Je vais vous donner ma position, et sachez qu'elle est définitive : je n'en ai rien à carrer des types que défend Isabelle, je ne sais même pas s'ils sont plus dans le business que dans la politique, je crois qu'eux-mêmes ne pourraient pas le dire. J'ai pris son dossier Streiff pour lui rendre service, parce qu'elle insistait. Mais je suis bien avec mes petits truands et mes gros crimes bien dégueu. Je n'ai pas envie de prendre plus de dossiers, je n'ai pas l'équipe, je n'ai pas le temps. Ou plutôt si, j'ai du temps mais je veux le mettre ailleurs, tiens, par exemple, aller à Besançon plaider une toute petite correctionnelle de rien, et gratos parce que c'est pour un jeune confrère...

Vous savez comment je vois les choses, vous le saviez avant qu'on s'associe. Et Ange, si je ne fais qu'un petit chiffre par rapport à vous tous, c'est mon problème, il me semble que je suis hyperrentable, en tout cas autant que toi.

Je rappelle aussi que chacun d'entre vous, Isabelle comprise, bénéficie de mon aide précieuse, n'est-ce pas, à chaque fois que vous avez une instruction sensible.

En résumé : faites ce que vous voulez des Clients d'Isabelle, si dans le tas il y a une merde pénale et que j'ai le temps, je regarderai. Pas plus. Et si elle meurt, je ferai comme nous l'avons prévu dans le pacte d'associés, je rachèterai le quart de ses parts et l'argent ira à ses héritiers. Point final. »

Éric :

« Bon, au moins c'est clair. Zeev ? »

Zeev se fait allumer une autre cigarette. Il synthétise les vrais enjeux de la réunion : Éric et Ange sont en train de prendre une option sur le chiffre d'Isabelle, et Éric cherche à savoir dans quelle mesure il devra partager, en termes d'argent bien sûr, mais aussi au-delà, en termes de pouvoir. Posément, il abat son jeu :

« Éric, si, je dis bien si, tu voulais récupérer *tout* le portefeuille d'Isabelle, je dirais pourquoi pas ? je ne serais pas scandalisé. On en discutera le moment venu, il faudrait juste veiller à ne pas dénaturer nos positions respectives dans le capital et peut-être aussi les clés de répartition des bénéfices.

En attendant, je suis bien entendu d'accord pour participer à l'effort commun, et j'assurerai dès aujourd'hui la supervision des dossiers d'Isabelle en droit social.

Il y a un point sur lequel je rejoins Johnny. Comme lui, j'ai une équipe restreinte, la surcharge ne peut être que temporaire. Et tant que l'on ignore ce que réserve l'avenir, je ne vais pas me positionner sur une grosse augmentation de mon activité.

Dernière chose : nous sommes tous les quatre à bloc au niveau des agendas, j'ai peur que, malgré toute ta bonne volonté, Éric, tu n'aies pas la disponibilité nécessaire pour substituer Isabelle en permanence. Que penseriez-vous de promouvoir un des collabs d'Isabelle, lui confier la gestion des clients, pendant... la convalescence ? »

Éric :

« Tu penses à qui ? »

Zeev :

« Le plus dégourdi est Alexandre, mais il est encore débutant. Je pense à Gaëlle. »

Johnny :
« La grande brune ? »

Zeev :
« Pour moi, elle a le potentiel ; et elle est avec nous depuis le début. »

Éric :
« Intéressant. Merci, Zeev. Ange ? »

Ange :
« Pas de commentaires. »

Éric :
« Bien ! Très bien ! Nous sommes donc tous d'accord. On se reparle pour l'option Gaëlle. Le partage des dossiers se fera sur la base des compétences respectives, et par défaut, si tout le monde est overbooké, ça se passera entre moi et... Gaëlle. »

Johnny :
« On peut aller prendre un café, maintenant ? »

Éric :
« Si tu veux, mais nous avions un second point à évoquer. »

Alerte rouge, Zeev connaît son Dressler, il sait que ça va cogner, il s'en veut de ne pas voir quel est le coup, mais il est trop tard pour empêcher quoi que ce soit.

Éric :
« Bon, je sais que tout le monde a une grosse journée à démarrer. Remettons à plus tard. Je vous demanderai juste de réfléchir en termes de stratégie au cas où Isabelle ne reviendrait pas. Sans son apport d'affaires qui alimente notre crois-

sance, nous perdons notre principale force de frappe. Et moi, générer seul la croissance interne, autant ne pas y penser. Ça ne doit pas reposer sur un seul associé. »

Zeev :
« Et donc ? »

Éric :
« Qu'on le veuille ou non, nous aurons besoin de nouveaux associés. Zeev, Johnny, vous avez dit vous-mêmes, tout à l'heure, que vous n'étiez pas en mesure de vous engager sur un développement de vos équipes. Vous avez même du mal à suppléer à l'indisponibilité passagère d'un associé. Je ne vois pas dans ce cas comment ne pas réfléchir en direction de l'extérieur, surtout si Isab... »

Zeev :
« Patrick Eudeline ? Tu es en train de nous parler de lui ? »

Éric :
« Lui ou d'autres... »

Zeev blémit. Contrôlant à peine sa voix :
« Éric, tu te souviens de notre discussion à propos de FINHOLD et PRECA ? Je t'ai dit que je n'acceptais pas que nous sortions de notre position d'avocat pour des questions d'argent. Je t'ai dit que même s'il ne s'agissait que d'un seul Client, Isabelle portait un coup de canif à notre contrat. Et là tu annonces tranquillement que tu veux associer un type qui est, lui, à 100 % et tout le temps au-delà de la ligne jaune. Ce ne serait plus un coup de canif, ce serait... »

Éric :
« Zeev, je t'en prie, ne prononce pas de paroles définitives.

Je ne *veux* pas associer Patrick, j'ai juste dit que j'y réfléchis... »

Zeev se lève comme un ressort :
« Viens, Johnny, on a du boulot. »

Il se dirige vers la porte.

Johnny :
« Bien joué, Éric, on fera comme tu dis. Tu veux que je te... »

Zeev revient sur ses pas, tire Johnny par la veste.

Éric :
« Rien n'est fait, Jean-Philippe. On le jouera ensemble, le coup, t'en fais pas. »

Zeev pousse fermement son ami vers la sortie. Johnny essaie sans succès de se dégager, et, tout en reculant, se met à déclamer :

« *Whatever you say, Paul ! If you want me to play, I'll play. And if you don't, I won't. I'll do whatever you want me to...* »

Sa voix se perd dans le couloir.

Happy

Working for the boss every night and day
Baby won't you keep me happy

Mon deuxième mois de stage est bien entamé,
j'ai attisé le feu où j'avais mes deux fers,
et tout s'est mis à carburer d'enfer.

La semaine dernière, j'ai fait un point avec Zeev.
Je lui ai rappelé qu'il était convenu de régler
les détails financiers évoqués à mon arrivée.
J'avais pas mal bossé, avec application,
je m'étais battu sur toutes les balles,
et l'équipe m'avait adopté.
Zeev, correct, a reconnu mon travail,
et m'a royalement offert une indemnité de stage.
J'ai remercié pour le satisfecit, et refusé l'indemnité,
le point étant que, si je suis productif,
je mérite un vrai salaire.
Une lueur d'amusement est apparue dans les yeux du boss,
m'avertissant que je poussais un peu loin le bouchon,
mais c'était trop tard pour reculer.
Il m'a demandé 24 heures.
Sans doute pour en parler à Dressler,

tu parles d'un arbitrage : « On le paie, le stagiaire ? »
Le lendemain, j'avais la réponse, positive !
Ils m'ont vraiment à la bonne, ces deux-là.

J'ai arrosé la nouvelle avec Alexandre,
qui m'a rebaptisé le juriste conconsultant,
rapport à ma prochaine fiche de paie.

C'est vrai qu'au niveau du boulot, nous cartonnons.
Mon dossier de recouvrement de créance est gagné.
Et le dossier Streiff, le gros dealer, aussi.
Johnny a trouvé le détail qui vicie la procédure,
le vilain s'est évaporé dans la nature,
tout baigne.

Jusques et y compris le point essentiel.
J'ai quasiment soudoyé Alex pour qu'il m'appelle
quand il voit Carole quitter son bureau le soir.

Hier, tard, il m'a donné l'alerte.
J'ai enfilé mon manteau sur-le-champ,
et connecté Carole comme par hasard,
devant l'ascenseur.
« Tiens, Carole !
– Tiens, Tom...
– Tu sors toujours aussi tard ?
– Il n'est que neuf heures et quart.
J'ai préparé mon audience de demain matin.
– Dommage, moi je sors ce soir.
– C'est cool. Tu fais quoi ?
– La fête. »

Nous avons pris l'ascenseur, face à face.
Quelques secondes de silence, remplies de bonnes ondes.

Souvenir de la chaleur de sa jambe contre la mienne,
l'autre jour à l'Ethic Bar – j'ai forcément la barre.
Encore quelques instants seuls au monde,
vas-y Tom, ça passe ou ça casse :
« Je crois que je devrais t'inviter pour demain soir.
– Ah oui ? Tu vas encore faire la fête ?
– *Nous* allons faire la fête !
– J'ai aussi une audience à plaider, après-demain.
– Et ça nous empêche de passer la nuit ensemble ?
– Peut-être pas toute la nuit ! »

Rez-de-chaussée, l'ascenseur nous a mis dehors.
D'un air décidé, avant de sauter dans le taxi,
elle m'a slamé une bise sur la joue.

I'm happy, baby. So happy.

Entre nous c'est fait, en tout cas à 50 %,
parce que de mon côté, c'est d'accord.

Let's Spend The Night Together

Now!

Le lendemain soir,
nous nous retrouvons en bas du cabinet.

Elle avait dit, peut-être pas toute la nuit,
c'est clean, elle m'aura averti.

Nous avons descendu les Grands Boulevards à pied.
Razzia de DVD et de bouquins chez Virgin.
Puis en sens inverse, jusqu'à République.
Dîner dans un endroit branché.

Après le dessert,
j'évalue la situation.
Elle n'a pas beaucoup bu,
sobriété forcée de l'avocate plaidante.
Pour autant, elle n'a pas l'air pressée.
Je lui demande de m'accompagner
pour un petit pèlerinage, tout près.
Elle demande où, c'est qu'elle est d'accord.
Je ne lui en dis pas plus, nous quittons le resto.

Sur la droite de la rue du Faubourg-du-Temple,
je repère de loin l'enseigne historique en forme de chapeau noir.

À la fois boîte de nuit et salle de concert,
le Gibus présente ce soir plusieurs groupes de rock.
Une volée de marches mène à la cave du vieil immeuble.
Une vaste pièce, aux murs de pierre, basse de plafond.
À gauche, le bar, quelques tables, des canapés de skaï.
Au fond, une estrade, un fond noir : la scène.
Tout ici évoque la Cavern de Liverpool,
le repaire des quatre fabuleux au début des sixties.
S'ils n'ont jamais joué ici,
j'y ai toujours perçu les ondes bénéfiques de mes ancêtres :
Police, Téléphone
s'y sont produits avant de connaître la célébrité,
et Starshooter, et Strychnine,
qui n'ont pas connu la même gloire.
Moi aussi, je suis monté sur cette scène.
J'étais posté à droite,
comme le kid qui tient la basse ce soir.
Il joue avec les Hairies, cinq garçons,
quinze ans, peut-être seize.
Tignasses ébouriffées,
costards noirs, chemises blanches débraillées.
Un rock naïf, un ensemble compact,
ils avancent bien et ensemble.
Ils ont le look,
ils se défoncent sans retenue, font le spectacle.
Je me concentre sur le bassiste, apprécie son groove.

« Ils sont cool ! » me crie Carole à l'oreille.

Je l'avais oubliée, celle-là, tant je suis parti ailleurs.
Je lui glisse quelques mots en retour, par politesse,
et, pour lui donner à penser, pose ma main sur son épaule.
Nous restons debout dans les vagues sonores,
l'un contre l'autre, à l'arrière de la masse du public.

Gros plan sur le petit bassiste.
Concentré. Son application me touche.
Je suis avec toi, man, tu tiens bien ton tempo,
tu leur tiens toute la baraque, vas-y.
Jusqu'au bout du morceau, du set, du rappel.
T'arrête jamais en chemin, t'arrête jamais de jouer.

Les Hairies concluent avec...
le *Psycho Killer* des Talking Heads.
Moins glamour que la VO, mais tellement plus dynamique.
Ça déménage sec. La salle tangue, le public chavire.
C'est déjà fini, trop tôt.

J'applaudis comme le plus givré des fans.
Je ne parviens pas à décrocher de la scène vide.
Carole me tire par la manche.
Nous allons prendre un verre au bar.
Son look tailleur sexy ne convient pas au lieu,
et bien sûr, elle est très remarquée.
« Carole, tout le monde te mate, t'es au courant ?
– Tout le monde, sauf un.
– Celui-là va se rattraper.
– Ça t'a plu ?
– Trop. Et toi ?
– C'était agréable.
– On y va ? »

À la sortie, dans la cour intérieure de l'immeuble,

nous rencontrons les Hairies, écroulés sur des marches.
Ils discutent entre eux,
je parie qu'ils attendent leurs parents.
J'échange quelques trucs d'initiés avec le bassiste.
Ruben me vouvoie, ça fait bizarre.
Je lui demande s'il écoute Zina Rock.
Il adore.

J'ai passé une bonne soirée.
Dans la rue, Carole me prend le bras.
« Zina Rock, c'est le groupe qui fait du rock oriental ?
– Yep. Tu connais ?
– Je ne suis peut-être pas très rock and roll,
mais évidemment que je les connais. Pourquoi ?
– Pour rien. Parce que je les connais aussi...
– Tu les connais personnellement ?
– Tu veux qu'on aille quelque part pour un dernier verre ?
Sans alcool, bien sûr...
– Je suis un peu Cendrillon. Il va être minuit.
Tu te souviens que j'ai une audience demain matin ?
À Bobigny en plus.
– OK alors je te ramène. »

Je kiffe ce genre de meuf.
Elle sait que, je sais que,
nous savons que l'autre sait que,
et nous n'essayons pas de meubler la tension.

One Hit (To The Body)

It took just one hit to the body
To tear my defenses apart

Je me réveille dans le lit de Carole.
Non, c'est elle qui m'a réveillé.
Je la sens blottie contre moi.
« Bonjour, le stagiaire qui ouvre les yeux. »
Elle m'embrasse dans le cou.
Elle m'embrase et c'est doux.
« Bonjour, maîtresse.
– T'es pas obligé, tu sais.
– Ah. J'ai été ton amant, cette nuit,
ou j'ai rêvé ?
– Ça, on peut dire que tu l'as été. Et pas par accident.
J'avoue tout. Je rêve de toi, depuis quelque temps. »
Je m'étire. Elle dit, au moment où j'y pense :
« Petit déj ? »

Je la regarde préparer, thé noir et céréales au lait écrémé.
Nous nous remettons au lit, séparés par un plateau
beaucoup moins plaisant que la formule crème-croissants.

Je la regarde dévorer son festin diététique.
Je ne reconnais pas la fantasmatique collab' du cab,
celle qui fait corps avec son uniforme d'avocate Top Gun.
La Carole de ce matin est nue, nature, à l'aise,
comme si sa nudité était un autre vêtement.

Rassasiée, elle repousse le plateau.
« Et toi ? me demande-t-elle.
– Je n'ai pas trop faim.
– Je veux dire, toi, tu as rêvé de moi ?
– Bien sûr.
– Menteur.
– Tu préfères la vérité ?
– Je vais raconter des craques tout à l'heure, au tribunal.
Et c'est tous les jours comme ça.
Donne-moi un peu de sincérité, j'en ai besoin.
– Tu vois Zina, la guitariste de Zina Rock ?
– Euh... oui, à peu près.
– À gauche sur les affiches, très brune,
toujours en tee-shirt vert.
– OK.
– Hier soir tu as demandé
si je connaissais personnellement le groupe.
Je l'ai connu. J'ai eu une histoire avec Zina.
– Et c'est fini ?
– Oh oui, et depuis des années.
– Et c'est d'elle dont tu rêves encore ?
– Non, mais tu m'as demandé d'être sincère.
Tu m'as plu dès que je t'ai vue au cabinet.
Mais jusqu'à cette nuit, tu n'étais qu'une sorte d'image,
alors que Zina fait partie de moi.
– Et maintenant ?
– Maintenant je vais rentrer me changer,
pour être à 9 heures au cab.

– Toi, tu es un peu dur quand tu es sincère. »
Si c'est pas un appel, ça. Je l'embrasse.
« Sincèrement, tu me plais, Carole.
– Giga. On se lève pour de bon ? »

Je m'éjecte du studio, léger, victorieux, et affamé.
Carole habite à cent mètres de la porte des Ternes,
moi chez mes parents, derrière la place des Ternes.
Je n'ai qu'à remonter à pied l'avenue des...
Un cadeau, cette meuf, dans tous les sens.

Je lui ai dit qu'elle me plaît, et c'est vrai.
Ça devient clair, une fois liquidées les figures imposées.
Je veux dire, il fallait rentabiliser le stage, c'est fait.
Il fallait résoudre la question physique, c'est fait,
et j'ai idée que ça va se refaire et se rerefaire.
Maintenant il y a elle, pour elle, plus pour la perf.
J'aime son plan de base, son équation fondamentale :
toujours directe, comme si son boulot déteignait.
Elles sont toutes comme ça, les avocates ?
Ou seulement les avocates d'affaires ?

Et puis faut que je me l'avoue.
Elle a cette espèce de détachement, d'indépendance,
ce côté je suis ma ligne de vie sans besoin de l'autre.
Elle a quelque chose de Zina.

Back home.
Bisou à maman.
Papa déjà au bureau.
Douché, rasé, chemise claire classicos.
Je me redéguise en avocat version tenue de ville.

Un vrai petit déjeuner m'attend dans la cuisine.

Je dévore, en parcourant *La Semaine juridique*.
J'y suis abonné depuis trois ans, malgré les piques
d'Édith, sur l'air de « On ne lit pas ça même à Dauphine ».

Ça m'éclate de lire les petites histoires vraies
tapies dans le texte des arrêts de jurisprudence.
Moi pas rat de bibliothèque, moi vraie concebiche.
Je mémorise sans le vouloir, parce que c'est marrant.
Et je recase mes lectures dans mes copies.
Voilà ma recette pour cartonner en droit.

Avant le take off, je repasse par ma chambre.
Sur le mur constellé d'inscriptions et de bouts de papier,
huit mètres carrés pour mémoire des concerts où j'ai vibré,
j'ajoute au marker rouge : Hairies Paris 2006.

En haut à gauche, mon premier, en 1992,
the greatest rock and roll band in the world,
le plus génial cadeau que m'ait jamais fait papa,
j'avais douze ans et déjà faible en orthographe,
il manque un *l* à leur nom, j'ai jamais corrigé.

Sous la dernière inscription,
je punaise le ticket d'entrée au Gibus.
Je recule, contemple la nouvelle perspective.
Ouais, ça le fait toujours.

Va falloir que je me décide à grandir.
Hey, Ho, Let's go !
Métro.
Boulot.

Sad Sad Sad

Don't let them drown you out

Arrivé au cabinet, je fais le mort pendant le brief,
puis j'attaque mollement, par du classement,
manière de m'offrir une matinée de récup'
en gardant l'esprit libre pour rêvasser.

Carole, moi, Carole et moi,
avocate plus stagiaire égale quoi,
du bonheur et c'est quoi le bonheur,
sinon se poser ces questions-là ?
Mais pas le temps de rêver, dans une journée d'avocat
l'imprévu est convenu,
une demi-douzaine de fois par heure.

Maître Dressler,
T'as pas besoin de gueuler,
de prendre un mégaphone,
Si t'as envie de quelqu'un,
décroche ton téléphone.
Vibrato sur mon bureau.
Céline me convoque.

J'enfile les longs couloirs avec appréhension.
Pas normale, la voix de Céline.
Encore une catastrophe ?
Son bureau, juste avant celui d'Éric, est fermé.
Deux secondes pour un petit bonjour en chemin.
Je cogne à sa porte, et sans attendre passe la tête.
La sienne est décomposée, décoiffée.
Le front et les pommettes rougis.
« Ben Céline, qu'est-ce qui t'... »
Elle s'enfouit le visage entre les mains.
« Qu'est-ce qui se passe ? »
Je m'approche d'elle, effleure son épaule.
Elle sursaute, lève les yeux vers moi, en larmes.
« Tu n'as rien vu, Tommy,
tu n'as rien entendu,
tu ne dis rien à personne. »
Je reste là, désemparé, comme un môme.
Elle se lève, me pousse doucement,
et d'une voix affermie :
« À la vérité, tu n'as rien vu.
Je t'en prie, Éric t'attend. »

Elle referme la porte derrière moi.
Je reste seul dans le couloir, le nez face au bureau d'Éric.
Bêtement, je me reproche de ne pas avoir pris ma veste.
Trop tard. Allons-y.

Éric, assis à son bureau, me fait signe de m'asseoir.
C'est une manie, chez lui, la pénombre.
Civilités d'usage, ce qui est bon signe :
pas d'impair à me reprocher.
Il enchaîne sur le concret :

« Nous avons du nouveau dans le dossier Rossetti.
Le syndic nous assigne au fond, à jour fixe.
Vous suivez ?
– Oui. Ils ne sont pas passés en référé.
Ils essaient la procédure normale.
Ça nous donne du temps, non ?
– Pas beaucoup. Ils ont obtenu un jour fixe, au 4 janvier 2007.
Ça vous irait de me monter le dossier ?
– Bien sûr. Mais je dois vous dire...
je n'ai jamais préparé un dossier
pour un tribunal de grande instance.
– Et je dispose de sept collaborateurs.
Mais vous connaissez déjà l'affaire,
et j'ai plus besoin de vous que d'un de mes gars,
puisque... enfin, vous *êtes* plus créatif que la moyenne.
J'ai impérativement besoin que vous utilisiez ce talent.
Vous allez réfléchir à un message téléphonique plus...
– Plus soft ?
– En tout cas, juridiquement convenable.
– Tout de suite ?
– Nous avons un peu de temps.
Il faut le faire enregistrer par la Cliente courant novembre,
Pour faire établir trois constats d'huissiers échelonnés.
– Novembre, décembre, début janvier, c'est ça ?
– Oui. Vous avez carte blanche pour la facturation.
Passons à l'autre dossier à traiter ensemble.
Il est beaucoup plus actuel :
vous vous souvenez de PRECA ?
– Les magasins de Monsieur Gerber.
– Ce dossier n'avait rien à faire au cabinet.
– Oui, Isabelle Aubier conseille le concurrent.
– Je gère désormais ce Client, du moins, par intérim.
Vous aviez été désigné pour l'aider sur ce dossier.

Une réunion de travail était prévue à Monaco.
J'ai pu la reporter, compte tenu des circonstances.
Elle se tiendra la semaine prochaine.
Isabelle étant à ce jour encore dans le coma,
c'est moi que vous allez sans doute accompagner.
Vous me préparez un audit des deux concurrents.
Juridique, bien sûr, mais surtout économique et financier.
Si vous rencontrez une difficulté, voyez Guy Derrien.
Il travaille pour Isabelle, et il a l'expertise nécessaire.
Vous me ferez passer ce travail jeudi prochain.
Nous serons à Monaco le lendemain.
Des questions ?
– ... Non.
– Alors bonne journée. »

Je bats en retraite.
Ça ne me plaît pas, cette histoire, mais pas du tout.
Je n'ai pas osé le dire à Éric, je vais en parler à Zeev.
Il travaille toujours porte ouverte, je m'incruste.

Zeev m'écoute, d'un air distant,
et réagit après quelques secondes de réflexion :
« J'ai plus ou moins accepté que vous aidiez Isabelle.
J'aurais certainement dû vous interroger d'abord.
Vous avez le choix ; votre refus serait admissible.
Si vous acceptez, vous ferez une expérience intéressante. »

Je le crois pas. Zeev lâche les cartes !
L'impression, soudain, de lui encombrer les pattes.
En gros, il me pousse à y aller, même si c'est bien enrobé.
J'ai trop passé mon tour dans les premiers dossiers
pour encore refuser,
en plus je me suis coincé tout seul,
en décrochant ce putain de salaire.

Sur ce coup,
la mort dans l'âme,
je vais faire là où me dit de faire.

Mes prochaines soirées vont être studieuses,
et tristes.

I Just Want To Make Love To You

You're looking good baby
Come here honey

Seconde moitié du stage dans un état second.
Je traite les dossiers en roue libre, ma tête est ailleurs.
Je ne pense qu'à coincer Carole entre ses audiences.
Demain vendredi, je pars à Monaco,
elle, en week-end famille, loin de Paris.
Loin l'un de l'autre pendant au moins trois jours.
Je me risque à enfreindre notre règle tacite,
je l'appelle sur son poste :
« Carole. Je te dérange ? C'est urgent.
– Perso ?
– Oui.
– Nous n'avons rien d'urge...
– Si. Veux-tu m'épouser ?
– Tu es lourd. J'ai du travail.
– Carole, veux-tu m'épouser ?
– Ah. Et je dois te répondre comme ça, au téléphone ?
– Non, tu peux me répondre cette nuit.
– D'accord pour cette nuit. »
Elle raccroche.

Bien ouéj, Tom !
Trop heureux pour tenir en place,
je vais me dégourdir les jambes dans le hall d'entrée.

Brigitte Merle y tient Parina et Nathalie sous son feu,
les assistantes d'Isabelle et Ange paraissent sans défense.
Un feuillet de Sécurité sociale en main, elle siffle de rage.
« Pas 24 ou 48 heures, huit jours. Carrément.
Pourquoi se gêner ?
– Je crois qu'elle est hospitalisée, ose Parina.
– Vous croyez ça, vous ?
Elle était en pleine forme hier soir.
Une assistante ne s'arrête pas *huit* jours pour une rougeole.
On assume d'avoir des enfants *seule*.
– Céline ne s'est jamais arrêtée, s'entête Parina.
– Et alors ? Je vais envoyer un médecin contrôleur,
et croyez-moi, l'affaire sera tirée au clair. »
La sorcière reprend son souffle.
J'interviens avant la tornade.
« Elle est à quel hôpital ?
– Bichat », me répond Parina,
reconnaissante de la diversion.
Brigitte me tourne le dos.
« Vous, suivez-moi. »
Vous, ce doit être moi.
Elle n'a plus besoin des deux assistantes,
son message est passé et a été reçu cinq sur cinq.
Brigitte me tend un billet d'avion, en silence.
Mais je ne suis plus dans la diplomatie.
Ménager la sorcière ne sert à rien.
Je prends les billets,
et avec mon grand sourire :
« On n'a jamais un enfant seule, Brigitte.
On le fait généralement à deux,

c'est-à-dire avec un monsieur,
et généralement, on y prend du plaisir. »

Je m'enfuis avant qu'elle ne me jette un sort.
Moins de six semaines à tirer, que risquais-je ?
Je suis le seul à qui, mesquine,
elle ne porte pas la fiche de paie en main propre.
Sa tournée mensuelle, triomphale,
m'a oublié au début novembre.
La gentillesse du petit stagiaire a ses limites.

Retour à mon bureau.
Mes audits pour Éric sont pratiquement finalisés.
J'ai compris qu'il voulait surtout des infos sur PRECA.
J'ai sorti les comptes au greffe du tribunal de commerce,
analysé, croisé les chiffres avec des comparatifs,
je me suis bien défoncé dans ce boulot.
Carole ou pas, fallait que je m'applique,
je vais être bientôt en face du Client.
Restent quelques points de détail,
sur lesquels je manque d'assurance.
Je m'étais fait interdiction de déranger Guy Derrien,
le collaborateur d'Isabelle, pendant mon étude.
Maintenant que c'est le bouclage, il est temps.

Je passe le voir, au fin fond de l'aile des businessmen.
Le voyant taffer en veste, blafard sous la lampe de bureau,
je comprends pourquoi nous n'avons pas sympathisé :
Derrien est le clone de Marc-Alain, mon ex-punching-ball.
Je le dérange, et il ne fait rien pour le cacher.
Je lui demande très humblement son aide.
Il commence par vérifier le nom du Client.
FINHOLD ? Soulagement. Il peut facturer.
Il me renseigne, l'air docte,

avec plein de mots en anglais,
mais pas les mêmes que les miens.
Je suis pas sûr de bien tout comprendre,
goodwill, EBITDA, tout son charabia.
J'essaie de donner le change.
Je le remercie, et juste avant de partir,
incidemment, je pose ma vraie question :
« C'est quoi exactement FINHOLD ?
– Tous les stagiaires travaillent
sur le only-need-to-know-basis »,
me répond-t-il comme il jetterait sa ferraille à un SDF.

Je ne suis pas certain de bien avoir compris sa formule,
mais de toute façon, il n'y a pas d'info là-dedans,
et je n'ai rien à perdre. J'insiste.
« FINHOLD est un pool bancaire », finit-il par lâcher.
Je m'énerve un peu.
« J'imagine bien,
vu son capital, et sa domiciliation en Suisse.
Mais encore ? Qui sont les banques ?
Et où sont les autres dossiers de ce Client ?
Je pourrais y trouver d'autres infos utiles à mon dossier.
– Demande à Brigitte Merle, elle centralise les dossiers.
Bon, je suis sur un arbitrage, on peut s'en tenir là ? »

Il note son temps, et m'oublie.
Chou blanc. Je repars en sens inverse.
Je ne peux même pas retourner voir Brigitte,
j'ai oublié mon armure ignifugée à la maison.

Franck Plu ! Le caissier comptable.
Bon plan, lui a ce genre d'infos.
Je débarque dans son bureau, l'air sûr de moi.
« Franck, je travaille sur les dossiers FINHOLD.

(Je mets bien en évidence mon dossier,
titré du nom du Client.)
Pouvez-vous me donner la liste des affaires en cours ?
– Adressez-vous à Brigitte.
– Elle est occupée.
Vous avez accès aux lettres de mission,
vous pouvez certainement me dépanner, c'est urgent.
– Vous n'avez pas accès aux lettres de mission.
– Merci, Franck, c'est cool de bosser avec vous. »

Il ne me reste plus qu'à soumettre mon travail à Éric.
C'est Nathalie qui remplace provisoirement Céline.
Elle transmet au boss, me rappelle pour m'informer
qu'Éric me libère pour ce soir, et qu'il me fixe
le rendez-vous, demain matin, 7 h 30, au cab.
Je vais prendre l'habitude.

Un quart d'heure plus tard,
j'entends Carole, depuis le hall,
lancer à la cantonade le bonsoir
qui me donne le signe du départ.
Il est seulement 19 heures.
Elle est aussi pressée que moi.

J'oublie tout,
mon vieux cartable,
les tristes tronches du cabinet,
les gros banquiers et la finance,
la fatigue de mes nuits de travail sur le dossier niçois,
tout sauf ma brosse à dents,
et Carole qui m'attend.

She Was Hot

I think I'm going off the rails
Riding down the pleasure trails

Nous n'avons pas dormi de la nuit.
À 6 heures, Carole m'a poussé dehors,
et si elle ne l'avait pas fait,
j'y, non, je n'y serais pas encore,
mais j'ai eu bien du mal à décoller.
Mon rêve m'a suivi, maison, cabinet, Audi.

Éric a emporté deux gros cartables de dossiers.
Il me complimente pour les audits,
j'essaie de me concentrer,
l'hôtesse m'y aide à coups de cafés.

Arrivés à Nice, nous restons dans la zone aéroportuaire.
Une navette nous amène à un hélicoptère.
Quand vous avez les jambes en coton,
rien de tel pour vous remettre d'aplomb.

Le pilote assure.
Nous sommes les seuls passagers.
Il nous fait admirer, du ciel, la Côte d'Azur.

L'engin suit la courbe de la baie des Anges.
J'ai le cœur un peu dans tous les sens.
Pas mécontent d'atterrir, enfin, chez Rainier.
Une voiture nous conduit au port de plaisance.
Éric me désigne le yacht de Maître Antonio Hagen.
Je ne suis pas expert, mais il m'a l'air plutôt luxueux,
le grand bateau blanc avec en lettres orange
un nom de baptême tout simple : *Heidi*.

Un homme en pull-over chic nous accueille.
La quarantaine carrée, le bronzage discret.
Le visage est soigné, le sourire charmant.
Même son début d'embonpoint est maîtrisé.
Hagen et Dressler se serrent fermement la main.
Vient mon tour, Éric me présente au Client,
et je lis sans surprise, dans ses yeux,
que c'est juste un autre genre de requin.

Nous visitons le signe extérieur d'opulence.
Ça discute bois précieux, pêche au gros.
Puis nous nous installons au salon.
Table dressée pour l'apéro.
Vin fin avec péroraison, fritto misto.
Un serveur – on dit un marin ? – débarrasse.
Le moment est venu de s'y mettre.
Éric ouvre ses cartables.
La fatigue me tombe dessus, le vin m'a achevé.
La tête me tourne, je chancelle sur ma chaise.
Éric m'invite à aller prendre l'air.
Je vais pouvoir me délester par-dessus le bastingage.
Le pont est désert. Des transats blanc et bleu.
M'y écrouler quelques minutes, ça ira mieux.
Mais je pique du nez, et salut la compagnie.

Gunface

I'll stick a gun in your face
I got my narks, and my alibis

On me secoue.
J'émerge.
Ça sent la mer.
La masse d'Éric emplit mon champ de vision.
« Thomas, ça ne va vraiment pas ?
– C'est rien, c'est l'hélicoptère.
Ça va mieux. Je peux vous rejoindre ? »

Éric disparaît.
Je descends me rafraîchir aux toilettes.
Ragaillardi, je profite de l'instant de solitude
pour appeler Carole. Messagerie.
Please leave your message after the sound indication.
We can get it by distance
and we'll return your call quickly.
D'accord, c'est son portable professionnel,
mais elle se la pète un peu, ma petite chérie.
Je lui leave my message :
« C'est ton stagiaire qui te parle.

Je voulais te dire...
J'espère que tu t'es réveillée.
Hier je t'ai posé une question.
Tu n'y as pas répondu, de toute la nuit.
Ta réponse, quelle qu'elle soit, reste bienvenue,
même sur mon répondeur.
Allez, je file.
LOV. »

Je rejoins les Hommes.
Dossiers ouverts, cigares.
Avant le déjeuner.
Ils ont la santé.

« Thomas, nous vous attendions pour le dossier PRECA.
(Éric tend à Nino un tirage de mon audit de la boîte.)
Je vais laisser Thomas résumer notre examen. »
Imperturbable, Hagen parcourt les feuillets en m'écoutant.
« Hmm... je résume.
PRECA est depuis les années 80 leader sur la Côte d'Azur,
dans la hi-fi, puis dans le home cinema.
Les chiffres sont au tableau de la page 2.
Depuis deux ans, la chaîne réalise des pertes.
La cause ? Baisse, croissante, du chiffre d'affaires.
Monsi... L'exploitant a réduit ses charges fixes.
Largement insuffisant, la concurrence est trop rude.
L'année dernière, il a réinjecté des fonds propres.
Mais le déclin n'est pas conjoncturel.
Il est, techniquement, en cessation des paiements.
– Techniquement ? relève Maître Hagen.
– Je veux dire qu'il aurait dû déposer le bilan.
Juridiquement, il y était obligé, dès le début 2006.
Il ne l'a pas fait, parce que sa chaîne a été placée
en prévention des difficultés des entreprises.

– Vous m’expliquez ? interroge le Suisse.
– En France, le tribunal de commerce peut se saisir
pour accompagner une société en situation compromise.
Apparemment, le tribunal niçois a laissé filer.
– Pourquoi ? »
Je me tourne vers Éric, qui prend le relais :
« Peut-être parce qu’il a argué d’une plainte pénale contre X,
visant une entreprise concurrente.
– C’est-à-dire, nous ? »
Éric opine silencieusement.
« Et combien de temps va-t-il être autorisé à continuer,
sans pouvoir assurer les échéances ? demande Hagen.
– Nous ne le savons pas, répond Éric.
Mais la question n’est plus juridique.
Financièrement, il est exsangue.
Il ne tiendra pas au-delà de ce trimestre.
– Autre chose ? me demande Nino.
– Rien d’important, sauf si vous voulez des détails.
– Bien, conclut Nino. Le moment est propice.
Mon board souhaite agir avant le dépôt de bilan.
Le temps nous est donc compté.
Si nous déjeunions ? Tout est prêt, à bord.
Nous en profiterons pour étudier dans le détail
notre proposition de rachat. »

OK les gars, on y arrive enfin.
Ils ont mis Gerber à genoux,
et c’est bientôt l’estocade.
J’étais barbouillé.
Je suis écœuré.

À la fin du déjeuner,
tout est vissé.
Ils ont pensé jusqu’au plus petit détail,

je ne peux m'empêcher d'être admiratif.

Nino pianote sur son micro,
édite la proposition sur son papier à en-tête.
Puis il établit un pouvoir au nom d'Éric.

Les cafés et digestifs expédiés,
nous prenons congé.

Éric est d'excellente humeur.
Il me propose de l'assister pour la réunion de négo.
Je sais que c'est une manière de compliment,
mais le voir flinguer Gerber,
c'est pas une vocation.

Je négocie de *ne pas* reprendre l'hélico.
La voiture nous ramène à l'aéroport.
Calcul mental.
Le voyage sera facturé au temps passé, dix heures.
10 fois 500 euros pour Éric.
10 fois 220 pour moi.
7 200 euros hors frais.
En une seule journée.
Ça se médite.
Pourquoi t'as lâché, Zeev ?
Pour ça ?

Je me rendors dans l'avion.

You Can't Always Get What You Want

Hay Hay, vous voulez chanter aveg nous ?
Allright
Vous connaissez cette chansan ?
Eh bien allons-y alow
Aveg moi
Allright
Yeah
Now you can't always get what you want

Cabinet. Ça va comme un lundi.
J'ai grillé des neurones toute la journée.
Je décompresse, la soirée s'écoule,
j'attends que Carole ait fini.

Une expérience intéressante, avait dit Zeev.
J'en ai vécu deux pour le prix d'une.
Vendredi à Monaco, version classe,
samedi à Paris, version sordide.

Rentrant de Monaco, j'avais dormi une tonne.
Au réveil, je me sentais vide, désœuvré.
Carole ailleurs, et le cabinet dans la tête.

Je ne sais pas ce qui m'a pris,
pourquoi le mot Bichat s'est imposé,
pourquoi j'y suis allé, samedi après-midi.
Visite à Céline, elle m'a raconté.

J'ai appris qu'Éric, comme dit Alex, tapait dans le tas.
Mais là, ça n'avait plus rien de folklorique.
Il avait bien destroyé Céline.

Elle ne m'a rien demandé, surtout pas un conseil,
que j'aurais été bien en mal de lui donner.
Elle n'en a parlé à personne au cabinet.
Elle ne sait pas comment elle tient.
Elle a mentionné ses enfants.
Ma présence l'a réconfortée.
C'est tout.

Que faire dans ces cas-là ?
J'ai essayé de lui remonter le moral.
J'ai posé des questions sur ses enfants,
sur la façon dont elle voyait l'avenir.
Ça a eu le mérite de débloquer son joli sourire.
Elle ne sait pas quand elle aura la pêche pour revenir.
Je l'ai quittée en promettant de la rappeler.

Je regrette de ne pas avoir le feu vert pour en parler.
Tout seul, je ne peux pas grand-chose.
Je mets ce dossier en attente.
Céline ? Un dossier ? J'ai vite pris le pli !
Pour les avocats,
tout événement tend à constituer un dossier.
Sur les bureaux de tous, dans les bannettes, les tiroirs,
traînent des cotes cartonnées sans rapport avec les affaires :
Machin c/ Loyer, Truc c/ Formation, Bidule c/ URSSAF.

Une déformation professionnelle limite parano.
Je croise les doigts pour éviter la contamination.

Le signal, enfin.
Je rejoins Carole.
Nous dînons dans la brasserie la plus proche de chez elle.
Elle ne tarde pas à remarquer ma morosité.
Je lui explique ma virée à Monaco.
Elle ne voit pas ce qui me gêne :
« Tu as fait le travail normal d'un avocat d'affaires.
Ce jour-là, tu étais dans le camp du plus fort.
Dans le business, il y a forcément des perdants.
Ça ne met pas en cause le métier. »
Je tente de me faire comprendre :
« À partir de quel moment tu es responsable ?
– Tous les jours, à l'audience,
je prends mes responsabilités.
– D'accord.
Mais que fais-tu quand tu tombes sur un truc bizarre ?
– Exemple ?
– J'en ai des tas. Tiens...
Des banquiers qui offrent des centaines de milliers d'euros
pour acheter des magasins au bord du dépôt de bilan.
Hmm ?
– Je leur conseillerais d'attendre
et de faire l'offre de reprise au juge commissaire,
après le dépôt de bilan.
Ce serait significativement moins coûteux,
et plus facile à gérer face aux créanciers.
Je leur conseillerais même de faire figurer à l'offre
le maintien des contrats de travail,
ça ne mange pas de pain,
et ils pourraient ne payer qu'une somme symbolique. »
Elle a la tête aussi bien faite que le corps, ma meuf.

« Et si les acheteurs savent tout ça et qu'au lieu d'attendre, ils veulent aller vite et surtout pas que ça dépose ?
– C'est qu'ils ont un intérêt autre que financier.
Peut-être stratégique, dans leur politique de croissance.
Ou encore,
peut-être veulent-ils éviter une offre concurrente.
Quoi qu'il en soit,
ce n'est pas à nous d'apprécier leur arbitrage.
Notre mission s'arrête au conseil juridique,
et tu sais, c'est déjà bien suffisant pour moi.
On finit la bouteille ? »

Elle est à fond dans son plan, on va pas se fâcher.
Nous trinquons pour le dernier verre.
Mais l'alcool ne suffit pas à me décontracter.
Je remonte à l'assaut, malgré moi :
« Tu me permets un autre exemple ?
– Le dernier, après, dodo.
– Éric défend une prostituée.
Elle paie 400 euros l'heure, j'ai vu la lettre de mission.
– Elle a peut-être des ennuis qui justifient nos honoraires.
– Elle a un problème de voisinage,
dans son appart' à 600 000 euros payé comptant.
– S'il est si cher, peut-être tient-elle à y rester ?
– Carole ! Tu me chambres ?
– Qu'est-ce que tu veux entendre ?
Que peut-être elle ne paie rien,
qu'Éric la défend en échange de ses faveurs expertes ?
Et alors ? Si Éric, en tant que mec, profite de sa situation,
où est le rapport avec la fonction de l'avocat en général ?
– Je te concède ce point.
À propos, tu as connu l'assistante qui a précédé Céline ?
– Oui, Stéphanie... Même genre de fille que Céline.
– Tu veux dire, physiquement ?

– Entre autres.
Tu as remarqué que nos assistantes sont toutes...
– Oh Carole ! Évidemment, je l'ai remarqué.
– Celles d'Éric sont particulièrement bien de leur personne.
Dis-moi, tu n'es pas en train de soupço...
– Mais non,
je voulais juste savoir pourquoi Stéphanie est partie.
– Une triste histoire, elle a commis une grosse bourde.
Éric ne lui a pas pardonné et l'a virée pour faute grave. »
Je frémis intérieurement. Appeler Céline, dès demain.
« Bon, on arrête de se prendre la tête ? »
Elle se lève de sa banquette
et dépose un baiser sur mes lèvres.

On n'a pas toujours ce qu'on veut.
J'aime l'intelligence de Carole,
je ne me retrouve pas dans ses idées.
J'adore me prendre la tête sur les dossiers,
et je n'arrive pas à me voir dans ce métier.
J'apprécie Éric en tant qu'avocat et leader,
mais mon boss est aussi un bel enfoiré.
Je suis bien payé pour ce que je fais,
mais j'accepte un argent mal gagné.

Shosh, ma grande sœur, je meurs d'envie de t'appeler.
Rassure-moi, redis-moi pour la millionième fois
que de tous les branleurs que tu connais je suis le roi,
le bleu voit les choses en noir,
je suis fatigué de gamberger.
Black and blue.

Dear Doctor

There's a pain where there once was a heart beat

Ysé refuse de travailler en anglais.
De nos jours, quel collaborateur aurait l'imp(r)udence
de ne pas se déclarer total bilingue,
stage nord-américain à l'appui ?
Et non seulement l'originale
n'anglophone pas,
mais elle revendique son refus de le faire.
Chez Éric ou Ange, elle aurait été virée.
Chez Zeev, no souci.

Ysé et Zeev.
Ces deux-là fonctionnent sur zzz, zzz,
des longueurs d'onde que je ne reçois pas.
Toujours est-il que depuis ce matin,
je me cogne avec le boss un audit juridique [1]
de contrats en anglais pour son milliardaire.

---

1. Composition harmonieuse de textes de loi et d'analyses personnelles de l'auditeur, dont la synthèse révélera que la situation est fort complexe, et dont la conclusion sera qu'aucune décision subséquente du client ne peut lui garantir une sécurité juridique satisfaisante, sauf à commander un nouvel audit approfondi, facturé à l'heure.

En bras de chemise, nos montres-bracelets sur la table,
nous avons déjeuné en travaillant, sandwiches et Bud.
Je suis à fond dans l'ambiance.
Je le reconnais : ça le fait.

15 heures.
Ysé fait son apparition.

Comment peut-on travailler dans un cabinet d'affaires
en bottines Peter Pan, tunique et pantalon de soie,
et en arborant une telle tignasse de sauvageonne ?
Pour moi, le blaireau de chez Aubier & Dressler,
une avocate a forcément le look de ma Carole,
chemisier blanc et tailleur gris : on rigole pas.

J'ai commis l'erreur de lever la tête,
et je suis pris de tétanie.
Je la regarde de tous mes yeux alors que le temps s'arrête.
Zeev aussi plonge dans la quatrième dimension.

Ysé fait comme si elle était un être humain normal,
elle... parle :
« Zeev, je peux vous déranger quelques minutes ? »

Elle nous a ramenés sur terre en douceur.
Je ferme la bouche,
Zeev fait l'inverse :
« Bien sûr. Tu viens d'où ?
– Du Palais, en passant par la BNP place Dauphine.
J'ai assisté une copine que la banque veut virer.
– Elle est dans le rouge ?
– Elle est surtout installée toute seule.
Forcément, sa trésorerie fait du yoyo.
Et bien sûr, c'est au creux de la vague

qu'ils lui suppriment toute facilité.
Comment faire tourner son cabinet dans ces conditions ?
– Et alors, tu as négocié pour elle ?
– J'ai *essayé* de négocier.
Ils n'ont rien voulu savoir.
J'ai essayé de sortir un plan B :
ma garantie personnelle sur une autorisation de découvert,
d'un montant égal à un mois de ses recettes,
sachant qu'elle dépose 12 000 euros par mois.
C'est pas le bout du monde.
Encore non.
Ils m'ont expliqué qu'ils n'y sont pour rien.
Qu'ils ont des instructions du siège.
Un banquier qui t'explique, j'adore.
J'ai fini par mettre le souk dans l'agence.
C'est Chris qui m'a poussée dehors,
sinon j'y serais encore.
On a pris un café, et je l'ai envoyée chez Madame Cotte.
– Nickel. Tu as fait ce qu'il fallait. »
Ça me sidère ces avocats, surbookés en permanence,
capables de tout arrêter pour causer boutique.
Je mets mon grain de sel :
« Madame Kott, c'est quoi... un code ? »
Zeev consent à me dévoiler le secret :
« Non, c'est une vraie personne, en chair et en os.
Si Dieu existe, Il a mis en elle tant de qualités humaines
qu'on peut L'excuser d'avoir autant négligé les banquiers.
Madame Cotte travaille pour l'ordre des avocats.
Elle aide tous les confrères qui font le métier
sans être suffisamment payés en retour.
– Et il y en a beaucoup ?
– Quelques milliers à Paris.
– ...
– Eh oui, le stagiaire,

vous n'évaluez peut-être pas votre chance
de réclamer un salaire à un cabinet
qui a les moyens de dire oui. »

Oh le Scud ! Je ne veux pas laisser passer,
mais Zeev ne me donne pas le temps de riposter :
« Bon, Ysé, qu'est-ce que tu veux ?
– Tu te souviens de la soirée au Smart Bar ?
– Vaguement.
– Tu te souviens que je t'avais accompagné,
que tu devais en échange m'aider dès le lendemain,
que tu ne pouvais pas à cause d'un truc à l'Ordre...
– Ah oui, un truc fou encore,
un confrère qui a perdu quelques dossiers contre nous,
qui a fini par s'énerver suffisamment pour écrire à l'Ordre
qu'il allait prendre contre moi des mesures physiques.
– Zeev ! Tu te souviens ou pas ?
– Tu parles ! L'Ordre...
– OK, c'est un scandale, mais tu t'es engagé à m'aider
pour mon dossier prud'homal contre l'Opéra Nation.
– Ah oui ? Bon. Je t'écoute.
– L'audience de jugement est dans trois semaines.
– Tu veux que je te briefe pour l'audience ?
– Zeev ! Notre accord c'est que *tu* plaides.
– J'ai dit ça moi ?
– Oh ça va, je ne suis pas d'humeur...
– Tu en es où ?
– Tout est prêt sauf le dossier de plaidoiries.
– OK. Tom, vous restez pour le briefing.
Ensuite vous préparerez le dossier de plaidoiries.
Nous t'écoutons, Ysé. »

Elle s'assoit, décroche le téléphone.
« Charlotte,
vous pouvez nous apporter le dossier Painsillon ? »

Mon legal pad sous le coude, je prends des notes.
« C'est un dossier de licenciement, explique Ysé.
La salariée est habilleuse à l'Opéra.
Elle a 55 ans, elle vit seu...
– Je ne comprends pas, coupe Zeev.
Je croyais que tu ne faisais pas de prud'hommes ?
– Non, je n'en fais pas, c'est bien pour ça que je te...
Bon. Monique Painsillon est ma voisine,
elle habite à l'étage au-dessous de chez moi.
Elle est montée un soir, complètement retournée.
Je suis avocate, elle m'a demandé de l'aider,
et je n'ai pas su dire non. »
Le dossier arrive. Zeev se met à le feuilleter.
Ysé poursuit :
« Sur les faits, j'ai récupéré ce qu'il faut.
Ancienneté : 37 ans en tant que salariée.
Plus si on compte le temps où elle était dans la troupe.
Licenciée pour abandon de poste et absence injustifiée.
En filigrane dans la lettre de licenciement,
on lui reproche en plus d'être alcoolique.
Il lui est arrivé un truc infernal :
son médecin s'est trompé
dans la rédaction d'un arrêt de travail :
au lieu de l'arrêter du 20 au 30 avril,
il a écrit du 20 au 30 mars.
Elle ne l'a pas vu,
du coup elle est partie en cure de désintoxication,
le 20 avril 2005, en croyant être couverte,
et elle s'est fait virer pendant sa cure. Pour faute grave.
– Des remarques, le stagiaire ? »
J'étale ma pauvre science :
« La faute grave la prive du préavis
et de l'indemnité de licenciement.
Dommage, avec 37 ans d'ancienneté,
ça devait faire une somme.

– Pour vous c'est une faute grave ? »
Sur la sellette, pas le choix. Je fais ce que je peux :
« Ça dépend.
L'alcoolisme au travail n'est pas en soi une faute.
Mais si elle ne peut pas assurer en étant alcoolisée,
ou si ça provoque des incidents graves... »
Ysé intervient :
« Elle n'est pas clairement virée pour ce motif.
C'est seulement suggéré.
Je lui ai demandé des attestations
sur la qualité de son travail.
– Je vois, commente Zeev en feuilletant les pièces.
Impressionnant, cette moisson de témoignages.
– Oui, ça m'a frappée aussi.
Un metteur en scène, des instrumentistes,
un chef d'orchestre, et même... deux danseurs étoiles.
– Et en face ? Je ne vois pas de communication adverse.
– Ils n'ont toujours rien communiqué,
ni pièces ni conclusions.
Leur délai était fixé au 15 janvier dernier, tu vois un peu ?
– Tu as qui en face ?
– Le Lorrain, c'est un spécialiste en droit social.
Tu le connais ?
– Non. Continuez, Thomas.
– L'absence injustifiée est évidente, mais fortuite.
– Comment établiriez-vous que c'est une erreur ?
– Par le médecin. Il peut témoigner.
– Il ne veut pas attester, objecte Ysé.
D'après la salariée,
il aurait rédigé l'arrêt de travail en mars,
parce qu'il partait en vacances ensuite,
et maintenant ça le gêne de trop dire en justice
qu'il a donné un arrêt de travail en mars...
pour le mois suivant.

– Je comprends, reprend Zeev.
Remarque, il a voulu être serviable.
Dommage qu'il n'assume pas.
Continuez, Thomas.
– Si on admet l'absence injustifiée, ou l'abandon de poste,
on pourrait peut-être quand même contester
qu'il s'agisse d'une faute grave ?
– Ah oui ? Vous vérifierez la définition de la faute grave.
Bon, jusque-là c'est clair. Et ça se présente mal.
Ysé, tu pensais plaider quoi ?
– J'ai regardé la jurisprudence.
L'absence injustifiée peut légitimer le licenciement.
Surtout dans le cas où ce n'est pas seulement ponctuel,
mais que ça s'est transformé en abandon de poste.
Ils l'ont contactée, puis l'ont convoquée, sans effet,
pendant dix jours, et pour eux, elle avait disparu.
Elle boit, elle est régulièrement en maladie,
et elle disparaît en envoyant un arrêt de travail...
vieux d'un mois.
L'horreur.
Plus facile à plaider du côté de l'employeur, non ? »
J'ajoute :
« Il ne manquerait plus que l'arrêt de travail soit un faux.
– Bien vu, commente Zeev. On ne peut pas l'exclure.
– Non mais ça va pas, vous deux ? proteste Ysé,
Je suis certaine au moins de...
– Nos certitudes sont inopérantes, tranche Zeev.
En revanche l'incertitude du juge peut jouer contre nous.
Mais excuse-moi, continue, sur tes axes de plaidoirie.
– Je bloque, reconnaît Ysé.
D'un point de vue strictement légal,
l'employeur est dans son droit.
Qu'est-ce qui nous reste ?
Plaider l'abus de droit ?

– Thomas ?
– Oui, l'abus de droit.
C'est un peu gros de virer comme ça
quelqu'un d'aussi ancien. »
Zeev se tapote la lèvre.
Il fait mine de réfléchir à haute voix :
« J'ai plaidé, deux ou trois fois,
l'abus de droit aux prud'hommes,
du côté salarié bien sûr. Vous savez ce qui m'est arrivé ?
Je me suis rétamé, et je crois avoir compris pourquoi.
Vous savez, mon cher stagiaire, qu'aux prud'hommes
la formation de jugement se compose de quatre conseillers.
Deux sont élus sur des listes de syndicats ouvriers,
les deux autres par les employeurs.
Pour emporter la décision, il faut obtenir 3 voix sur 4.
Autant vous dire qu'un salarié ne peut pas gagner
sans convaincre au moins un des conseillers employeurs.
J'ai arrêté de plaider l'abus de droit quand j'ai compris
que les conseillers employeurs s'en fichent royalement.
J'exagère à peine. En gros, ils pensent que le patron
n'a plutôt pas assez de droits que trop,
alors quand il use de son droit,
on ne va pas juger qu'il en abuse.
Je crois qu'il y a un peu de ça, vraiment.
– Et donc, qu'est-ce que tu préconises ? demande Ysé.
– Rien pour l'instant. Que s'est-il passé en conciliation ?
– Une audience mascarade.
J'étais avec la salariée,
personne ne s'est déplacé de l'Opéra.
Il y avait juste le confrère,
venu sans mandat de conciliation.
Il a expliqué qu'on ne pouvait pas concilier
vu l'importance des demandes de la salariée.
Il s'est fait sévèrement secouer par le président,

qui n'a pas apprécié que l'employeur ne se déplace pas.
Il a rappelé que la conciliation était un espace confidentiel
où l'on pouvait essayer de rapprocher les parties.
– Et comment a réagi Le Lorrain ?
– Il avait l'air de s'en ficher royalement.
Il a quand même dit qu'il demanderait à ce que quelqu'un
se déplace pour l'audience du bureau de jugement.
Bon, ça n'est pas le pire.
Je lui ai communiqué mon dossier le 15 décembre dernier.
Lui avait jusqu'au 15 janvier.
Je n'ai rien vu venir.
Le 15 février, nous sommes passés au BJ.
Il est venu les mains dans les poches
et a soulevé une contestation sur la section.
– Je vois que tu es en section Encadrement...
– Il a prétendu que ma Cliente n'était pas cadre,
mais employée,
et que nous devions par conséquent être renvoyés
devant la section Activités Diverses.
J'ai sorti les fiches de paie qui indiquent qu'elle est cadre,
mais rien à faire, le président de la formation
a renvoyé au grand président du prud'hommes.
J'étais furieuse.
– Vous avez suivi, Thomas ?
– Pas tout.
– Dès l'instant où il y a contestation sur la section,
le bureau de jugement ne pouvait retenir l'affaire,
il était obligé de renvoyer au président.
– Mais c'est complètement dilatoire ! s'exclame Ysé.
– Oui. D'ailleurs le président a tranché en ta faveur,
l'affaire revient devant la section Encadrement.
– C'est nul. À quoi ça rime, ces comportements ?
– Ça sert surtout à t'avertir.
Tu as en face de toi un confrère procédurier.

Donc attends-toi à de nouvelles emboucanes.
– Qu'est-ce qu'il va encore sortir ?
– Nous le saurons dans trois semaines. »
Zeev se saisit de son téléphone.
– Basha, vous pouvez m'appeler France Chevalier ?
À son cabinet, oui.
(Il lève les yeux vers nous.)
France Chevalier est spécialiste en droit du travail,
avec deux mentions : c'est un cador,
et elle connaît tout le monde.
(Connection.)
Allô, France ? Zeev.
Oui je vais bien, et tu vas bien,
eh dis-moi, je peux te mettre sur haut-parleur ?
Je suis avec Ysé et un stagiaire du cabinet. »
Une voix surgit du téléphone :
« Il a un nom ton stagiaire ?
– Euuh... bien sûr. Thomas, Thomas Chauveau,
pourquoi ? »
Le téléphone :
« Juste pour savoir.
Tu sais, ailleurs que dans les cabinets d'affaires,
les gens ont un nom, même les petites mains.
– Tu ne changes pas en vieillissant, toi...
Bon, voilà mon point :
j'ai un prud'hommes contre l'Opéra Nation.
Tu connais leur...
– Leur avocat en social c'est Le Lorrain.
– Pu... punaise, comment tu fais ?
– Je le connais, j'ai plaidé contre lui,
et je sais qu'il intervient pour l'Opéra.
– Il nous tire dans les pattes.
Il ne communique rien, il fait du dilatoire.

Qu'est-ce que tu en penses ?
– Rien. C'est tout à fait lui.
Il n'est pas méchant. Assez correct, même.
Il plaide bien aux prud'hommes, tu verras.
La tête près du bonnet, le bon sens près de chez vous.
C'est ce qu'il faut quand tu es côté employeur.
Cela dit il n'a aucune envergure.
Incapable de négocier, de prendre du recul,
il trouille de prescrire quoi que ce soit à son Client,
il ne sait faire que de la procédure pour la procédure.
– Mais pourquoi ? Pour faire tourner le compteur ?
– Peut-être. Même pas sûr.
Tout ce que je peux te dire,
c'est que quand je l'ai en face dans un nouveau dossier,
je sais que j'en aurai pour des années.
– Réjouissante perspective.
– C'est toi qui plaides ?
– Oui, en principe.
– Tu as toutes tes chances.
C'est le genre de confrère un peu trop suffisant.
Il ne va pas te voir venir...
– Si au moins je savais moi-même où aller ?
– Tu peux venir déjeuner, par exemple. »
Zeev coupe le haut-parleur.
« C'est ça, on s'appelle on se fait une bouffe...
Allez, bye, et merci...
– Zeev, reprend Ysé, pour être claire,
je ne le sens pas ce dossier,
et ça m'ennuierait qu'elle perde.
– Qui parle de perdre ? Nous allons y travailler.
L'Opéra n'est pas une entreprise comme les autres.
Il n'est pas dit que le côté employeur s'identifie à...
Il faut que je réfléchisse, nous avons un peu de temps.

Tom, vous préparez le dossier de plaidoirie.
Il ne vous est pas interdit d'avoir de nouvelles idées.
Maintenant vous me laissez bosser,
je termine l'audit des contrats du mari de la vraie Basha.
Giclez de mon bureau, les collabs. »

Don't Lie To Me

That's a lying woman and a cheating man

Retour à mon bureau, enfin seul,
j'appelle Céline à l'hôpital.
Elle va mieux.
Je lui raconte mon soupçon.
Elle m'avoue avoir également imaginé
que le licenciement de la dernière assistante
avait une autre cause que celle alléguée par Éric.
Le risque est que l'absence d'une semaine de Céline
soit jugée comme alarmante par son patron,
qu'il craigne qu'elle ait craqué, qu'elle se plaigne,
et qu'il la vire juste pour supprimer ce danger.

Le briefing auquel je viens d'assister,
cette histoire de salariée virée pour un rien,
une absence pour raison médicale,
a avivé ma crainte.
Irrationnel,
je sais, aucun rapport.
Mais je commence à voir des fantômes dans cette boîte.

Je conjure Céline d'écourter son hospitalisation.
Rentrer plus tôt que prévu, serait-ce de deux jours,
pourrait donner le change. Elle promet d'y réfléchir.

Je mets ce dossier en attente.
Mentalement, j'y colle un Post-it urgent :
« Prendre infos supplémentaires chez Basha. »
Elle a forcément connu Stéphanie,
la précédente victime d'Éric,
et les assistantes en savent toujours bien plus
que les collaboratrices.

Place au dossier Painsillon contre Opéra Nation.
Ma première affaire prud'homale.
Je vais d'abord relire mes notes,
puis je reprendrai les pièces, une par une.

Ça ne le fait pas, impossible de me concentrer.
Je ressasse la conversation d'hier soir avec Carole.
Pourquoi s'obstine-t-elle à rester bien dans la ligne
en regardant ce qui se passe ici avec des œillères ?
Elle a passé son temps à me balancer du Tranxène.
Pour FINHOLD, pour Céline et Virginie, pour Rossetti.

Rossetti !
Je referme le dossier Painsillon,
et me jette sur celui de ma Cliente préférée.
Cote frais et honoraires ; je checke la convention.
C'est bien ça, facturation au temps passé, à 400.
Mais pas de facture. Même pas une note de provision.
J'ouvre la cote correspondance, lis tous les courriers.
Aucune lettre d'envoi de facture.
Même pas pour remboursement des frais.
Bingo ! J'ai enfin l'explication du manège.

Éric se fait son petit abus de bien social,
ni vu ni connu j'ai une maîtresse à l'œil,
et si ça devait mal se passer avec les associés,
il s'est ménagé un alibi comptable :
la Cliente est engagée par sa convention d'honoraires,
il aura juste oublié de facturer cette affaire secondaire.

Au moins, c'est clair, presque normal !
Et ça, je peux me permettre de raconter.
J'appelle mon pote Alexandre.
Ce soir, on se fait une virée.

Rough Justice

We never thought it dusty

J'ai « sorti », comme on dit dans le métier,
le dossier Painsillon.
Zeev a feuilleté mes conclusions sans vraiment les lire.
Éric, au moins, s'inspire de ma production laborieuse.
J'ai un peu tiré la tronche, Zeev s'en est aperçu,
il m'a promis que je serais de la fête.

Il a tenu parole.
Aujourd'hui est le jour J.
Je l'accompagne rue Louis-Blanc,
au conseil de prud'hommes de Paris.
À 13 heures, il se présente pour l'appel des causes,
dans l'affaire dame Painsillon contre l'Opéra Nation,
et plaidera devant la section Encadrement.

La Cliente est arrivée en avance.
Ysé a aussi fait le déplacement,
pour rassurer sa Cliente-voisine,
qui semble en avoir bien besoin.

Madame Painsillon a 55 ans et elle ne les porte pas bien,
même si elle s'habille djeune, en tee-shirt et jean noirs.
Des cheveux courts poivre et sel.
Le teint pâle, les paupières boursouflées.

Elle nous désigne un homme en costume de ville,
le directeur des ressources humaines de l'Opéra,
un peu trop décontracté mais pas désagréable.

C'est donc lui l'adversaire.
Il se tient non loin d'un avocat en robe,
la cinquantaine suralimentée, complètement chauve,
en parade dans le couloir, avec l'assurance d'un tankiste.

Les prud'hommes de Paris.
Je découvre une drôle de petite usine.
Sur plusieurs étages, alignement de salles d'audience.
Dans chaque salle, deux rangées de bancs en bois,
de part et d'autre d'une travée centrale.
Au fond, une table occupe toute la largeur de la pièce.
Un plan en marbre clair la recouvre entièrement.
Au centre et en avant de ce plateau,
une barre horizontale est incrustée dans la pierre.
Le salarié se place à droite,
l'employeur à gauche.
Derrière la table, cinq sièges noirs.
Quatre, au centre, pour les conseillers dont le président.
Le cinquième, sur la gauche,
est réservé à la greffière d'audience.
Le mur du fond est recouvert de boiseries,
avec une niche excentrée où trône un buste de Marianne.
Là est rendue la justice sociale.

13 h 20.
Une trentaine de personnes attend toujours,
devant et à l'intérieur de la salle d'audience,
l'arrivée des conseillers.
Nobody.

Maître Le Lorrain s'approche de nous.
Il salue Zeev et Ysé, qui sont en robe,
moi non, je suis l'homme invisible,
et Madame Painsillon non plus.
Il la prend pour une passante ?

Tout ça pour tendre à Zeev ses pièces et conclusions.
Zeev le remercie, presque gaiement.
Puis il me tend la liasse de papiers sans la regarder
et me demande à haute voix
de ne pas oublier de ranger tout ça.
Tronche du Lorrain qui se détourne de nous ;
majesté du paon.

Du mouvement dans la salle.
Deux conseillers apparaissent.
Habillés en tenue de ville,
reconnaissables à leur médaille en pendentif,
au bout d'un ruban rouge et bleu.

Entre également une jeune femme,
sans médaille, en chemisier, souriante.
Elle s'assoit à la place de la greffière.
Elle dégage une impression de sérieux,
mais aussi de charme,
peut-être parce que jolie brune aux yeux verts,
peut-être aussi parce qu'elle adoucit la tension de la scène.

Un des deux conseillers préside.
C'est un homme d'une soixantaine d'années,
cheveux paille et sel, lunettes, calme et autoritaire.
L'autre est une femme proche de la cinquantaine,
d'apparence normative et studieuse.

Le président procède à l'appel des causes,
en attendant que ses deux collègues retardataires arrivent.
Les avocats se font connaître
à l'appel du nom de leur Client.
Dix affaires doivent être jugées cet après-midi.

Un renvoi est demandé, pour non-communication de pièces.

Un deuxième, pour le même motif.

Puis c'est une demande de sursis à statuer,
à cause d'une plainte pénale en cours contre le salarié.

Puis une autre demande de renvoi,
sur requête de l'avocat de l'employeur,
parce que le défenseur syndical du salarié a changé.

Puis une demande écrite de désistement.
Le président interpelle la greffière :
« Isab... hmm, madame la greffière ?
– Le désistement est accepté par l'autre partie,
il est donc parfait.
Nous attendons que la formation soit au complet pour
l'acter. »
Petit signe de reconnaissance du président.

L'appel se poursuit.
Finalement, la majorité des affaires ne se plaidera pas,
pour renvoi, sursis à statuer, radiation, caducité...
Il ne reste que quatre affaires « en état » et « au complet ».
Nous sommes la dernière.
Le président consulte sa montre. Je fais de même.
Il est 14 heures et la formation est toujours incomplète.
L'audience est suspendue.
Retour dans le couloir.

Zeev demande à Ysé d'attendre à l'étage,
et d'en profiter pour consulter
le dossier du Lorrain.
Il descend avec Madame Painsillon prendre un café.

Je reste avec Ysé.
Nous nous jetons sur le dossier adverse.
La nouvelle emboucane apparaît aussitôt.
Le Lorrain soulève l'incompétence des prud'hommes,
au profit du tribunal administratif,
compte tenu du statut de l'Opéra.

C'est la cata, nous n'avions pas vu venir le coup.
Ysé me tape une cigarette, et se met à carburer.
Je lui propose de descendre rejoindre Zeev.
Refus : si le boss a voulu s'isoler avec la Cliente,
c'est qu'il a ses raisons.
Brusquement, elle se lève.
« Tom, je vais au greffe, au fond du couloir à gauche.
Tu viens me chercher si l'audience reprend. »

Je reste seul,
à dévisager les hommes et les femmes en noir.

Énervés par l'attente, ils trompent l'ennui en téléphonant, en discutant avec le Client, en arpentant le couloir.

14 h 35. Enfin !
Quatre conseillers entrent par la porte du fond.
L'audience peut vraiment commencer.

Deux heures (!) plus tard, la première affaire est bouclée.
Elle sera délibérée en fin d'après-midi,
en même temps que les autres,
et le jugement rendu « sur le siège ».

16 h 45.
Les conseillers n'ont pas pris le temps de souffler,
la deuxième des quatre affaires est appelée.
Plusieurs salariés, représentés par deux avocats.
L'avocat de l'employeur soulève un vice de procédure.
Trois quarts d'heure de plaidoiries croisées.
Le conseil se retire
pour délibérer sur la question de procédure.
Reflux général de l'assistance vers le couloir.

Se dégourdir les jambes.
Je suis là depuis plus de quatre heures,
je n'en peux plus d'attendre.
Ysé vient à ma rencontre.
Griffonnées sur le bloc qu'elle brandit victorieusement,
les références de plusieurs jugements de prud'hommes.
Elle m'explique que sa démarche au greffe a été utile,
que nous allons pouvoir contrer l'exception de l'adversaire.
Ses yeux brillent, Dieu qu'elle est belle.
Zeev et Madame Painsillon sont toujours en bas.

Est-ce la chaleur ? Le relâchement lié à la proximité forcée
de ceux qui sont amenés à poireauter ensemble des heures,
comme dans un hall d'aéroport un jour de grève ?
Je craque et comme ça, gratuitement,
juste pour tuer le temps.
je provoque Ysé :
« Tu sais, entre nous,
je trouve que ça se voit un peu que tu craques sur Zeev... »
Avant même de finir ma phrase,
je sais que j'ai proféré une ânerie.
Mais elle ne cille même pas.
Un sourire illumine son visage.
Elle me regarde avec une espèce de douceur,
et me répond, sur le ton de la confidence :
« Et si c'était vrai, tu me donnerais tort ? »
Je suis vraiment un âne.

17 h 50.
Le conseil reprend la séance
après avoir délibéré sur l'affaire n° 2.
L'avocat de l'employeur peut être satisfait,
les prud'hommes lui donnent gain de cause.
Pas de jugement sur le fond aujourd'hui.
Les salariés semblent désemparés.
Leurs avocats remercient le conseil (de quoi ?)
et évacuent la salle, leurs Clients sous le bras.

Nouvelle suspension de séance.
Nous en ignorons la cause.
Incident technique, ou petit remontant en back office ?

À 18 h 15, la troisième affaire est appelée.
Discussions autour de la présence de deux interprètes.

Ça se plaide.

À 19 h 30, la salle est vide, et ça va être notre tour.
Ysé me demande d'aller chercher Zeev et la Cliente.
De son côté, elle sort prévenir Le Lorrain,
qui dort dans le couloir,
son DRH de Client à quelques mètres de lui,
abattu par l'attente.

19 h 35.
Le président suggère de renvoyer l'affaire :
« Nous avons pour usage de ne pas gêner les greffières
qui utilisent des moyens de transport en fin de journée. »

Zeev propose que les deux avocats plaident
en se limitant à présenter de courtes observations orales.
Le Lorrain riposte en arguant de son besoin de temps
pour exposer son exception d'incompétence.

Le président se retourne vers la greffière,
cherchant un alibi :
« Madame S... madame la greffière ? »
La réponse fuse, à voix basse mais très distinctement :
« J'habite Paris, monsieur le président. »
Soupir forcé du président, qui tente un dernier coup :
« Maîtres,
pouvez-vous vous contenter de dix minutes chacun ? »
Zeev saute sur l'occasion :
« Bien entendu, monsieur le président.
Je vous remercie de bien vouloir siéger,
d'autant que cette affaire a déjà été renvoyée. »
Le président se tourne vers Le Lorrain :
« Maître, pouvez-vous plaider en dix minutes ?

Je vous donnerai la parole en premier,
vous pourriez évoquer votre exception d'incompétence
sur laquelle nous délibérerons,
en même temps que sur le fond. »
Le Lorrain s'incline de mauvaise grâce.

Le président fait retentir le gong :

« Maître Le Lorrain, vous avez la parole. »

Lies

Dripping off your mouth

19 h 38.
Plaidoirie de Maître le Lorrain.

« Monsieur le président, mesdames et monsieur les conseillers,

je représente l'Opéra Nation dans cette triste affaire de licenciement. Une triste affaire car on ne peut que comprendre l'attachement d'un cadre à l'établissement public qui lui a permis de faire carrière.

Mais précisément, il s'agit d'un établissement public. Les statuts de l'Opéra sont en surface, en tête de mon dossier. Et selon la jurisprudence administrative, claire et constante, dont je fournis une vingtaine d'illustrations à mon dossier – il s'agit de décisions de nos plus hautes juridictions, savoir du Conseil d'État, de la Cour de cassation, mais aussi du tribunal des conflits –, il est indéniable que la demanderesse est un agent de l'État, et qu'en conséquence seule la juridiction administrative est compétente pour connaître d'une demande liée à sa collaboration ou la rupture de sa collaboration.

Monsieur le président, mesdames et monsieur les conseillers, je n'abuserai pas de votre temps en plaidant plus longuement l'incompétence de votre juridiction, la solution juridique étant absolument indiscutable.

Le renvoi devant le tribunal administratif de Paris s'impose.

Cela étant, et puisque votre police d'audience amène très judicieusement à ce que nous nous contentions d'observations réunies sur la procédure et sur le fond, je dirai quelques mots, à titre infiniment subsidiaire, sur le fond de l'affaire.

C'est là encore très simple. Une absence non justifiée, non autorisée, prolongée, en pleine saison de représentations de spectacles vivants à l'Opéra. Le préjudice subi par la troupe est réel, plusieurs soirées ont été rendues difficiles pendant l'abandon de poste.

Le licenciement s'imposait donc.

Et si je licencie Madame Painsillon, ce n'est pas seulement à cause de cette faute, déjà par elle-même suffisante. C'est aussi parce que jusqu'à aujourd'hui, la salariée n'a pas donné d'excuse valable à sa disparition.

Naturellement, elle plaidera l'erreur sur son arrêt de travail – car en effet que pourrait-elle plaider d'autre ? – mais on ne peut en aucun cas modifier, par sa seule volonté, les termes clairs d'un document, à savoir un certificat médical. Elle était censée s'arrêter en mars 2005, et non pas en avril 2005. Et un médecin ne peut prévoir à un mois de distance la nécessité d'un arrêt de travail, sauf à pratiquer un art divinatoire.

D'ailleurs, si l'on devait suspecter l'arrêt de travail, on pourrait aussi se demander s'il n'est pas, quelle que soit sa date, un certificat de complaisance et je le dis, je le dis avec toute la prudence nécessaire, parce que le médecin en question est étrangement absent dans cette procédure.

Pourquoi ne témoigne-t-il pas en faveur de la salariée si ce qu'elle allègue est vrai ?

(Le président opine : « Les médecins écrivent un peu ce qu'ils veulent... »)

Donc nous avons une disparition préjudiciable à l'entreprise, puis une histoire rocambolesque pour toute excuse, un an après les faits... et ce n'est pas tout !

Je m'explique.

L'Opéra n'est pas un adepte des licenciements. Si je prends cette décision, c'est aussi parce que la disparition de ce cadre s'explique en réalité par, je regrette d'avoir à le dire, un alcoolisme avéré, y compris pendant le temps de travail. Je ne puis rien décider d'autre qu'une rupture de la collaboration lorsque ce problème, de notoriété publique dans l'établissement, amène le salarié à ne plus pouvoir venir travailler. Car en effet, les arrêts de travail de Madame Painsillon se sont répétés au cours des deux dernières années de collaboration. Jusqu'à ce que la limite du tolérable soit dépassée, c'est-à-dire jusqu'à ce que les arrêts ne soient plus justifiés. L'Opéra ne pouvait plus fonctionner avec une responsable des habilleuses présente seulement par intermittence, et sous la menace de ses défections inopinées.

Enfin et j'en aurai terminé, tous les faits que j'ai ici évoqués sont consacrés par la jurisprudence en tant que causes réelles et sérieuses de licenciement. Bien plus, chacun des faits est à lui seul constitutif d'une faute autorisant le licenciement.

Le licenciement de cette salariée était donc légitime et justifié.

Je souligne également, d'un mot, qu'elle a bénéficié d'une procédure de licenciement régulière et respectueuse de ses droits.

En conséquence, si tant est que le conseil se déclarait compétent pour connaître de la demande de Madame Painsillon, il ne pourra que l'en débouter.

Je remercie le conseil et reste aux ordres pour toute explication supplémentaire.

Emotional Rescue

I'll be your knight in shining armour
Coming to your emotional rescue

19 h 50.
C'est au tour de Zeev.

Le Lorrain vient de plaider le bon sens près de chez vous :
si vous portez préjudice à l'entreprise qui vous emploie,
il est indiscutablement légitime de vous licencier.
Cette fois encore, la loi est contre nous.

À la fin de la plaidoirie, Zeev s'est tourné vers nous,
s'est saisi du dossier, et à l'interrogation muette d'Ysé,
a répondu en chuchotant : « Impeccable. »

Ysé et moi nous avons échangé un regard.
Le boss confirmait notre sentiment.
L'avocat de l'employeur a été bon.
Avec son discours sobre, concis,
sans agression contre la salariée,
il a embarqué les juges.

C'est surtout le président qui m'inquiète.
Il a des idées très arrêtées sur les médecins complaisants.
Là encore, confirmation de la faiblesse du dossier.
L'absence de témoignage du médecin est un trou énorme
dans notre défense.

Reste à croiser les doigts.

Zeev est tendu, sa désinvolture habituelle a disparu.
Sa main tremblait quand il l'a posée sur le dossier.
Sa fébrilité contraste avec Le Lorrain, minéral.
Et surtout, avec le quatuor des conseillers.
Deux d'entre eux ont l'air de piquer du nez.
Est-ce la fatigue, ou le signe que la messe est dite ?

Le président consulte sa montre d'un air résigné,
et invite l'avocat de la salariée à prendre la parole.
Zeev pose son dossier sur la grande table.
Il se recule, et commence à parler,
lentement, à voix plutôt basse.

« Monsieur le président, mesdames et monsieur les conseillers,

l'heure est tardive, et les demandes de la salariée figurent sur mes conclusions. Vous me permettrez d'économiser le temps du conseil en vous priant de vous y référer ?

(Le président hoche la tête en signe de soulagement.)

Je ne reviendrai pas non plus sur les faits tels qu'exposés assez exactement par l'employeur, ni sur la procédure de licenciement, parfaitement régulière.

(Le président hoche à nouveau la tête.)

Je serai bref sur l'exception d'incompétence soulevée par l'employeur. Selon les minutes du greffe de votre section (regard vers la greffière), vous avez déjà eu à connaître, au moins à trois reprises, des demandes prud'homales de salariés de l'Opéra et vous vous êtes toujours déclarés compétents. Pourquoi soudain deviendriez-vous incompétents ?

(Le président s'est tourné vers la greffière, qui a confirmé silencieusement.)

Mais cet incident de procédure est révélateur, et loin de moi l'idée qu'il s'agit d'une initiative dilatoire. Si mon excellent confrère a décidé de le plaider, c'est pour une raison précise, que vous avez peut-être pu apprécier en entendant les explications de l'employeur sur le fond du licenciement.

Car vous l'avez vu et entendu, CE DOSSIER EST VIDE !

(Il a prononcé ces derniers mots d'un ton accusateur, d'une voix dure, presque en criant. Les endormis ont sursauté. Le doigt pointé vers le dossier de plaidoirie de l'adversaire, Zeev dévisage chacun des conseillers.)

Oui, cette femme (son bras se tend vers Madame Painsillon) qui est la plus ancienne de la prestigieuse institution, elle y est entrée voici 45 années comme petit rat, s'est vu licencier sur un dossier VIDE.

Les termes de la lettre de licenciement sont très clairs : absence injustifiée et absences répétées obligeant à procéder à un remplacement définitif.

Quelle est la pièce qui justifie cette affirmation ? Il n'y en a pas. Et pourquoi n'y en a-t-il pas ? Parce que s'agissant d'une chef habilleuse de l'Opéra, ça n'a aucun sens. L'Opéra donne des représentations toute l'année, en matinées ou en soirées, et les week-ends. Les fonctions de Madame Painsillon sont exercées par trois personnes en alternance, toutes trois titulaires du même emploi à plein temps, et à certaines périodes de forte activité, on recourt aussi aux services d'habilleuses intermittentes du spectacle. Je produis des exemples de plannings, qui montrent cette organisation. Qu'elles soient malades, en congé, ou en récupération, le remplacement des chefs habilleuses ne pose aucun problème, sauf si on veut en trouver un.

(Zeev parle fort, sans quitter des yeux les conseillers, avec des gestes des bras qui soulignent son énervement. S'il en joue, c'est bien joué. Le quatuor l'écoute avec attention.)

Alors pourquoi inventer une soi-disant nécessité de remplacement définitif ? Très cyniquement, parce que le véritable incident, à savoir une simple absence justifiée par un arrêt maladie mal établi, ne peut pas, ne peut en aucune manière, motiver sérieusement un licenciement. Même si la maladie, dont la réalité n'est pas contestée par l'employeur, n'avait pas été couverte administrativement, un avertissement, une sanction disciplinaire, aurait été la décision normale d'un employeur normal. Madame Painsillon n'a pas abandonné son poste, elle a prévenu sa hiérarchie, elle a même adressé une note de travail pour pallier son absence.

On a fabriqué un motif de licenciement, parce que le seul reproche qu'on pouvait lui faire est ridicule.

Je dirai quelques mots sur l'incident de l'arrêt maladie monté en épingle.

Le supérieur hiérarchique de Madame Painsillon, quelque part là-haut dans les bureaux, développe une vision très personnelle à propos des gens qui travaillent à la production des spectacles. Des gens jeunes, beaux et dans le vent, le vent d'aujourd'hui, vous savez, comme on le voit dans un défilé de mode.

Madame Painsillon, vous le voyez bien (il désigne sa Cliente du bras, et poursuit d'une voix métallique, presque agressive), n'est pas complaisante pour ce qu'il faut bien appeler les fantasmes de son directeur, et son professionnalisme est parfois accusateur pour ceux qui doivent leur place à autre chose que leur compétence professionnelle.

Mais... insidieusement, depuis plus de trois ans, il lui fait savoir en permanence qu'elle est sur la sellette. Lorsqu'il apprend qu'elle est malade et la nature de sa maladie, il pense tenir le moyen de la faire disparaître.

Cela dit, l'Opéra est une institution normative, avec des procédures lourdes. Et la direction des ressources humaines lui fait savoir qu'on ne licencie pas quelqu'un sans un motif, dûment répertorié comme cause de licenciement.

Alors l'administrateur en question va devoir attendre son heure, autrement dit, attendre la faute.

Et Madame Painsillon va enfin commettre, non pas une, mais deux fautes. Elle doit être arrêtée pour une cure de courte durée qui durera dix jours à compter du 20 avril. Elle rend visite à son médecin le 19 mars, car le praticien a un carnet de rendez-vous chargé et qu'il part en vacances au début du mois d'avril. Le médecin établit un arrêt de travail, prévu du 20 au 30 avril, mais écrit à la main du 20-3 au 30-3-05, tout simplement par erreur, parce que le jour où il écrit, on est en mars.

La première faute de Monique Painsillon est de ne pas avoir vérifié le certificat.

Elle l'enverra tel quel le 17 avril 2005.

Et à ce moment, elle commet une seconde faute. Elle a un tel souci du service qu'elle rédige une note pour organiser son équipe pendant son absence. J'y ai fait allusion tout à l'heure. Elle met sous enveloppe la note et l'arrêt de travail, et adresse le tout... à l'administrateur et non au DRH, ce qui est logique pour elle puisque l'important pour elle est la note de travail.

Voilà comment l'administrateur a vu arriver par la poste, comme un cadeau du ciel, le motif administrativement recevable pour casser une carrière de 45 années. C'est le fameux abandon de poste qu'on vous a plaidé.

À cause de cette lettre, cette simple lettre, la vie de Madame Painsillon bascule.

La suite est un cauchemar.

Monique Painsillon, ignorant l'erreur de date, part en cure. Pendant son absence, on lui adresse une convocation à entretien préalable, le 22 avril, pour le 25.

Le 25 avril, elle est évidemment absente de l'entretien préalable. Que l'employeur ne se soit pas étonné de ne pas avoir reçu l'accusé de réception de la convocation est juste révélateur du caractère purement formel de sa procédure.

Le 27 avril, l'Opéra adresse la lettre de licenciement. Faute grave ! 37 années de service en tant qu'employée, mais pas de préavis et aucune indemnité.

Le 30 avril dans l'après-midi, la salariée, revenant de sa cure, trouve les deux avis de passage dans sa boîte aux lettres.

Elle se rend immédiatement à la Poste, ne comprend rien aux deux lettres signées par l'administrateur. Elle lui téléphone.

Le petit monsieur a le courage, ou le sadisme, de prendre personnellement la communication. Elle est affolée, elle demande des explications. Il lui répond...

(Zeev se tourne vers sa Cliente, pour l'inviter à relater elle-même la réponse, se ravise en voyant le visage bouleversé, et enchaîne.)

Il lui répond qu'elle ne fait plus partie de la maison, qu'il n'a rien à lui dire, sauf peut-être de bien examiner son arrêt de travail. Il semble d'excellente humeur.

Madame Painsillon fouille dans ses papiers, lit et relit le document. Le rapproche de la lettre de licenciement. Comprend enfin. Elle s'écroule.

Depuis le 30 avril 2005, depuis 20 mois, elle ne s'est pas relevée.

Voilà pour ce qui est du véritable motif du licenciement, et de l'arrêt de travail fatal. L'Opéra n'est pas un employeur ordinaire, qui conduirait une procédure de licenciement en jugeant que la prestation de travail est mauvaise ou insuffisante. C'est un univers de baronnies où il faut plaire, où les chefs de service sont largement irresponsables, où le meilleur des collaborateurs peut se voir exclu pour rien, en tout cas pour tout autre chose qu'un motif professionnel.

(Zeev fixe le président, comme si c'était à lui particulièrement que s'adresse la phrase suivante.)

Condamner cette institution, ce n'est pas donner tort à un employeur, c'est réparer un méfait dont est victime une innocente.

Je sais qu'il est tard, mesdames et messieurs les conseillers (ils ne semblent pas vouloir l'interrompre), mais cette justiciable doit pouvoir se défendre contre les accusations malveillantes qu'elle a entendues tout à l'heure.

Je ferai juste une dernière observation sur ce que vous avez entendu de l'autre côté de la barre, à propos de l'alcoolisme de Madame Painsillon et de ses effets sur le service.

Les motifs de la lettre de licenciement circonscrivent le débat judiciaire. Or cette lettre ne met absolument pas en cause les qualités professionnelles de la salariée.

On peut rendre ici hommage à l'honnêteté intellectuelle du directeur des ressources humaines qui a signé cette lettre. Serait-ce pour les besoins de la cause, il n'a pas pu se résoudre à coucher sur papier les allégations inadmissibles que nous avons entendues.

Ainsi la maladie de la chef habilleuse nuirait aux représentations. Qu'en est-il réellement ?

(Zeev s'approche des conseillers. Il parle d'une voix plus contenue, ouvre son dossier, manipule des pièces pendant son explication.)

Depuis 2003, Madame Painsillon essaie activement de se soigner. Vous devinez sans doute que, pour une personne comme elle, dont la sensibilité esthétique est, de par sa formation et son métier, nécessairement très développée, voir son physique se délabrer est cruel, et ajoute chaque matin à sa détresse.
Mais...
Mais jamais elle n'aurait laissé l'alcool nuire à son travail. Tout son honneur est concentré dans ce principe, est investi dans ce combat parfois difficile.
Et encore aujourd'hui, elle peut habiller une étoile les yeux fermés.

(Les regards des conseillers convergent vers Madame Painsillon. Elle pleure.)

Puisqu'on laisse entendre que la maladie de la salariée aurait provoqué des incidents pendant les représentations, (la voix de Zeev se fait plus forte) pourquoi ne pas avoir précisé de quelles représentations il s'agit, qui serait la cantatrice perturbée dans sa performance, quelle danseuse aurait été retardée entre deux actes, quel metteur en scène se serait plaint ?

Car de tels incidents auraient été inévitablement portés à la connaissance du DRH, ici présent. Mais l'Opéra est taisant sur ce point.

Aucun témoignage, aucune lettre de réclamation. Néant.

En revanche, les nombreuses attestations produites par la salariée – elles sont ici, à mon dossier – sont éloquentes, quant à sa maîtrise, sa compétence, l'excellence de son travail, pendant et en dehors des spectacles vivants.

Encore une fois, on allègue des reproches sur la base d'un dossier vide. Et si les propos malveillants ne figurent pas sur la lettre de licenciement, tant pis. (Zeev se met à marteler ses mots, sous le coup de la colère.) Les procédés de l'Opéra sont révoltants, écœurants, à l'encontre d'une femme qui... »

Maître Le Lorrain s'interpose.
Il prend la parole d'une voix forte,
scandalisé comme si l'on venait d'attenter à son honneur :

« Monsieur le président, il y a des limites. Je ne peux pas laisser insulter cette institution publiquement. Je n'ai pas tiré argument de l'alcoolisme avéré de la salariée pour mettre en cause ses prestations, et en conséquence...

– Maître, nous avons bien compris, interrompt le président. Vous plaidez le remplacement nécessaire et non les fautes professionnelles. Vous voudrez bien laisser votre confrère terminer ses observations. »

Ysé se penche vers moi, murmure :
« Ça a marché. Zeev l'a fait craquer, il est dans le mur. »

Zeev marque un silence, dont il semble avoir besoin pour se calmer.
Il reprend d'une voix posée :

« Monsieur le président, mesdames et monsieur les conseillers, je ne crois pas avoir mal compris la plaidoirie de l'Opéra, en ce qu'elle mettait en cause le travail de la salariée. Cela résultait clairement du discours de l'employeur (il se retourne vers Ysé qui hoche la tête d'un geste marqué). J'entends maintenant que l'on revient sur ces accusations. Est-ce que, pour qu'il n'y ait aucun malentendu, mon confrère pourrait dire clairement que Madame Painsillon n'a commis aucune faute pendant qu'elle était en poste, de sorte que madame la greffière puisse l'acter ?

(Le Lorrain se tait, le président le regarde, puis revient vers Zeev et lui fait signe de poursuivre.)

Vous voyez, conclut Zeev d'un ton plus serein, qu'on essaie, jusqu'au bout, de jeter la suspicion sur une femme qu'on licencie brutalement sans motif. Ce soir, malgré mon invitation, l'employeur ne veut pas reconnaître clairement qu'aucune faute professionnelle n'a jamais été commise, parce que s'il le faisait, il n'aurait plus de dossier. Mais en laissant planer cette suspicion, sans aucun élément établissant une faute, il ne fait rien d'autre que nuire à l'honneur de cette femme, et c'est intolérable.

Je demande au conseil de condamner sévèrement l'employeur, parce que Madame Painsillon est victime d'un licenciement sans aucun motif, parce que c'est une carrière exceptionnellement longue, de plus de 40 ans, qui est ainsi rompue et professionnellement, ce préjudice est définitif, et enfin parce que la brutalité de la rupture et la déloyauté de l'Opéra, dans toute cette affaire et jusqu'à cette audience, méritent réparation.

Par votre jugement, vous aiderez cette femme à reprendre un peu d'espoir dans la vie et à se reconstruire.

Je remercie le conseil de son écoute. »

Congratulations

Well done, my friend

Il est presque 20 heures.
Les conseillers se sont retirés pour délibérer.
Zeev nous explique que si en général,
ils renvoient le délibéré quand l'audience finit tard,
celle-là peut être leur dernière avant les vacances de Noël.

Nous sommes tous fatigués par les sept heures d'attente.
Zeev paraît le moins éprouvé.
Il a dû travailler tout l'après-midi à se préparer
en interrogeant la Cliente, qui semble exténuée.
Le Lorrain a filé, le DRH l'a suivi.

Nous sommes, tous les quatre, seuls dans la salle.
Je n'ose pas demander un pronostic,
mais si je devais en donner un,
il serait bien sûr favorable.
Zeev a démonté leur dossier,
il a même réussi à tirer profit
de la suffisance de l'adversaire,
comme l'avait conseillé France Chevalier.

Oui, Zeev m'a convaincu.
Et ça me travaille.
Parce que quand Le Lorrain a plaidé,
ma première impression s'était confirmée :
leur dossier est bon.
Je ne m'attendais pas à ce qu'on puisse raconter
la même histoire sous un éclairage si différent,
complètement opposé.
Quel que soit le résultat de ce procès,
ma capacité de jugement est peu glorieuse.

Les quatre font une dernière entrée.
Le président prononce à haute voix les délibérés.
Dans les trois premières affaires, les salariés sont déboutés.
Ysé me chuchote :
« Tu m'étonnes, le président est employeur. »

Vient notre tour.
L'exception soulevée par l'Opéra est rejetée.
Le licenciement est déclaré abusif.
La salariée obtient gain de cause
sur les indemnités sollicitées.
Victoire sur toute la ligne.

Nous sortons de la salle.
Les deux avocats entourent la Cliente.
Si je m'écoutais, je lèverais les bras au ciel.

Dirty Work

It's beginning to make me angry
I'm beginning to hate it

Vu de l'extérieur, mon parcours de stage frôle l'idéal.
À notre retour du champ de bataille prud'homal,
j'ai ajouté une ligne à la fière liste des affaires gagnées
En interne, Alex a fait circuler mon texte écrit
pour le répondeur de Madame Rossetti.
Franc succès chez les collaborateurs.
Enfin, Carole...

Et pourtant, ça ne tourne pas tout à fait rond.
Céline n'a pas pu remettre les pieds au cabinet
Elle a reçu une mise à pied en recommandé.
Il se murmure qu'on aurait découvert – on ? –,
pendant son absence, une faute sévère.
Crime parfait. Auteur : Dressler.

Alex m'a refilé les coordonnées d'un ami avocat,
auquel j'ai adressé Céline, la suppliant de l'appeler.
Car il se murmure aussi qu'Éric va négocier.
Céline touchera un chèque, et basta.

Dans quelques minutes, j'ai rendez-vous avec Zeev.
Peut-être pourra-t-il faire quelque chose ?
Lui en parler.

Je termine un de mes derniers travaux,
la préparation de la négo FINHOLD c/ PRECA.
Je dois calculer les incidences sociales et fiscales
de la proposition préparée avec Nino Hagen.
Rien à péter, du coût final de l'opération.
Sale boulot, je fais le sale boulot.
Ce rachat, c'est un truc de malfrats.
Pas très fier de m'y associer,
mais je vais au bout.
Fichier facturation.
Je rentre mon temps passé.
La parfaite Basha m'appelle :
le boss m'attend dans son bureau.

Zeev annonce l'objet de la réunion :
débriefing sur le stage.
Il consulte son agenda.
« Vous finissez bien le vendredi 22 décembre ?
– Oui, dans neuf jours.
– C'est ça.
Je ne vous donne plus de nouveaux dossiers,
vous pouvez utiliser le temps restant
pour rédiger votre rapport de stage.
Si vous souhaitez me le soumettre,
je le lirai avec plaisir.
Il vous reste quoi, pour le cabinet ?
– Pas grand-chose.
J'assiste Éric, demain, pour le rachat de PRECA.
Je participerai ensuite à l'établissement des actes.
Et jeudi prochain,

Johnny m'emmène en correctionnelle.
– Bon. Votre agenda est donc bouclé. »

Suit une série de compliments sur mon travail.
Je capte le message codé, comme souvent,
dans les propos de Zeev.
Des cinq stagiaires du trimestre,
je pourrais être son candidat.
Je ne relève pas, mon message silencieux est lui aussi reçu.
Zeev change de registre :
« Vous avez des projets ?
– Oui. Partir très loin pour de longues vacances.
– Et professionnellement ?
– Pas encore de projets.
– Bon. Et de votre côté, des choses à dire sur ce stage ? »
Je saisis la balle au bond :
« Oh oui. Deux choses à vous soumettre.
Je peux vous parler deux minutes du dossier FINHOLD ?
– Non. »
Calme mais définitif.
« Je passe au deuxième point, une faveur à vous demander.
– Je vous écoute.
– Quoi qu'on lui reproche,
Céline est une bonne assistante. »
Pause. J'attends la contradiction.
Elle ne vient pas. Je poursuis :
« Elle élève seule deux enfants.
Pourriez-vous l'aider à retrouver un emploi d'assistante ?
– C'est elle qui vous a demandé d'intervenir ?
– Vous vous doutez bien que non.
– Alors pourquoi vous adresser à moi ?
– Parce que je vous ai entendu plaider pour Painsillon.
– Céline serait-elle victime d'une injustice ?
– Si vous ne l'aidez pas,

par une lettre de recommandation,
ou en lui trouvant une place parmi vos relations,
elle n'y arrivera pas,
avec comme seul antécédent
un licenciement pour faute grave chez A&D.
– Céline est-elle victime d'une injustice ? »
J'hésite à tout dire,
mais renonce parce que sur FINHOLD,
il vient de me montrer dans quel camp il est.
Alors je biaise :
« Il ne s'agit pas de rendre justice, mais d'aider quelqu'un.
Elle aurait pu travailler pour vous aussi bien que pour Éric. »
Il me jette le même regard qu'à la juge d'instruction :
« Que voulez-vous dire ? »
Je biaise encore :
« Elle fait partie du cabinet. »
Il secoue la tête d'un air indulgent :
« Un stagiaire qui a hâte de quitter le cabinet
plaide pour quelqu'un qui n'est plus au cabinet,
au nom de l'entraide entre membres du cabinet.
Mon cher Tom, si vous étiez mon petit frère,
je vous reprocherais d'être sacrément culotté.
Vous avez d'autres arguments à exposer ?
– Vous caricaturez ma position.
Je n'ai pas dit que j'avais hâte de quitter le c...
– Ah !
– Et c'est précisément parce que Céline n'y est plus
que je vous... oh et puis stop. Vous m'avez compris.
– En tout cas, je vous aurai écouté.
– Vous voulez dire que vous m'avez entendu ?
– J'ai dit écouté.
– J'ai compris.
Maintenant le stagiaire gicle de votre bureau ? »

J'ai giclé.

Retour à mon poste.
Je n'ai pas le temps de m'asseoir,
mon mobile vibre et affiche « Avocate + + + ».
« Tom ?
– Carole ?
– Je suis en bas du bureau.
Je *veux* t'avoir avec moi cette nuit.
– Ben... dit comme ça... j'arrive de suite. »
Elle a déjà raccroché.

Je laisse tout en plan,
micro, dossiers, cartable,
et j'atterris au rez-de-chaussée plus vite
que si j'avais sauté par la fenêtre.

Elle veut !

Sleep Tonight

All you got to do is close your eyes

Tu es beau, Tom. Je te regarde, te bois des yeux, incruste ton corps dans ma mémoire. Je te mate impunément dans l'abandon de ton sommeil, sur ce grand lit qui mange l'espace de ma chambre. Je contemple ta nudité sous la clarté lunaire de la dernière de nos nuits.

Tu t'es endormi d'un coup, la tête tournée vers moi, tes paupières se sont jointes pour dessiner deux courbes de longs cils noirs. Et maintenant, avec tes traits relâchés, tes cheveux en pétard, tes lèvres pleines, entrouvertes, que j'ai envie de mordre, tu es ce que tu es, un gosse.

Enquête le long des lignes de ton corps, à la recherche d'un défaut, espoir de te mettre à distance, rendre les choses plus faciles. Je conclus au débouté. J'aime tes épaules étroites, tes bras et tes jambes si fins, presque imberbes, tes mains ouvertes, posées avec grâce sur le drap, et même tes pieds qui dépassent du lit, dont la peau tendue fait saillir l'entrecroisement des veines et souligne l'architecture des os avec la perfection d'une planche d'anatomie.

Et je n'aurai plus l'occasion de te dévoiler que ce que je préfère, c'est tes fesses. Je m'attarde à en contempler les courbes, et je garderai longtemps au creux des mains le souvenir de leur douce fermeté. Je... les adore.

La nuit pâle tamise les couleurs, estompe la teinte noisette de ta peau. J'écarquille les yeux, me rapproche de ton dos ; tout près. Un peu au-dessous de ta nuque, je te sniffe. Garder la mémoire du bien-être qui se diffuse à l'intérieur quand je t'inspire.

Dans quelques heures, tu vas te réincarner en jeune stagiaire qui réfléchit à cent à l'heure et qui veut tout comprendre. Redevenir le type plein d'aisance, enjoué et séducteur, qui les fait toutes craquer. Mais jusque-là, tu m'appartiens encore.

Je vais m'allonger sur toi, te réveiller. Tu vas croire que tu me prends, mais tu te trompes, c'est moi qui te prends et te possède.

Là est ton défaut. Tu ne comprends rien aux femmes. Je t'aime, tu le sens, tu cherches à me le faire dire, j'aurais pu. Ce que je ne pourrai jamais, c'est te faire admettre que, pour autant que je t'aime du fond de mon ventre, je ne suis pas amoureuse de toi. Steve va rentrer à Paris ce week-end et d'ici là, il faudra bien que je te quitte.

Je vais te faire du mal, d'autant que tu es incapable de comprendre. Pas construit pour. Je ne suis pourtant qu'une nana normale, pas forcément programmée pour s'attacher à un type qui lui plaît juste parce qu'il lui plaît assez pour... Tu vas vouloir des explications, et que dire ? Que tu as dix sur dix sur tous les plans ? Que je n'ai rien à te reprocher ? Que oui, tu me fais bien jouir, que la question n'est pas de savoir si tu me donnes plus ou moins de plaisir qu'un autre parce que oui, tu m'emportes complètement et que ça me plaît certainement autant qu'à toi ?

Heureusement j'ai un motif, une raison à donner. Mon mec revient. Me reprocheras-tu de ne pas t'en avoir parlé ? Comme si je t'avais, moi, sommé de déclarer tes autres aventures. Je ne t'ai rien demandé et je regrette que tu m'aies raconté Zina, ça me culpabilise de savoir que tu vas à nouveau te sentir trahi.

Je suis bien certaine que tu ne seras pas très fair-play, mais je ne t'en voudrai pas. Tu ne me parleras plus. Tu dresseras une barrière entre nous. Pour le temps qui te reste à travailler au cabinet, ton visage se fermera en ma présence, ou peut-être feindras-tu l'indifférence. Je ne pourrai plus accéder à toi, même par le regard, ne serait-ce que pour te faire passer ma prière :

Ne t'endurcis jamais, Tom, mon beau gosse, mon petit futur grand avocat.

Back Of My Hand

Troubles are coming,
I can read it like the back of my hand

Ni Carole ni moi n'avons entendu le réveil.
Je me suis marré de la voir se préparer en catastrophe.
J'ai choisi l'autre option, retour à la maison
et coup de fil à Basha pour prévenir du retard.
Ça ne m'est jamais arrivé en presque trois mois.
Zeev va-t-il penser que je boude ? Tant pis.

Je me pointe comme une fleur, à 10 heures.
Le brief collectif du matin ne m'a pas attendu.
Je retrouve mon bureau dans l'état où je l'ai laissé.
En pagaille.

Clic de souris pour faire disparaître l'écran de veille.
La facturation du dossier PREMIUM c/ PRECA réapparaît.
Je relis la dernière ligne, saisie hier soir.
De gauche à droite, ça donne :
Prestation : Étude Dossier.
Détail : assujettissement indemnités CSG CRDS.
Temps passé : 3 heures.

Taux horaire : 500.
Total : 1 500.

500 ? C'est vrai que c'est un dossier FINHOLD,
PREMIUM étant la filiale, concurrente de PRECA.
J'ai l'habitude de voir le logiciel compléter,
automatiquement, les deux dernières colonnes,
et c'est généralement le taux 400 qui s'affiche.
Mais alors...
Je quitte, retourne au fichier général des dossiers.

J'avais déjà exercé ma curiosité en checkant à la lettre F.
N'y figurait qu'un unique dossier dénommé FINHOLD.
Un banal dossier de tenue juridique,
à en juger par la nature des prestations.
Les dossiers FINHOLD étaient donc ailleurs.
Mais comment les retrouver s'ils portent un autre nom,
parmi les 1 800 dossiers vivants du cabinet.
Pas trouvé de truc pour les débusquer.
Et pas d'aide à attendre des collègues.

Je clique sur le premier dossier de la liste alphabétique.
Facturation Aaronson.
Je tape RDV Client dans la case « prestation ».
Aussitôt s'inscrit à droite le 400 du taux horaire.
Ippon ! J'efface la ligne.

Une première, bonne, très bonne, cigarette.
T'as mis le temps, Tom, mais t'as enfin trouvé !
Je vais ouvrir tous les dossiers,
simuler l'enregistrement d'une prestation,
et la bécane me dira si c'est à 500 euros.
Si c'est, ou non, un dossier FINHOLD.
Et qui est vraiment ce drôle de capitaine Hagen.

Je me retrousse les manches.
Il va me falloir un paquet d'heures.
Au moins la journée.

La personne qui me dérange
est la seule que je n'ai pas envie de voir.
Éric me convoque pour un dernier briefing.
Monsieur Gerber,
qui vient spécialement de Nice,
se présentera au cabinet,
avec son avocat, à 19 heures.
Je me retiens de dire : Son avocat, Maître Rohach ?
« C'est un closing », me prévient Dressler.
Sous-entendu : il a l'intention de les faire signer.

Prenons les choses du bon côté.
Je vais assister à ma première négo d'affaires,
et malgré mes préventions contre Éric,
il me tarde de le voir à la manœuvre.

En attendant, j'explore la compta.
Il me revient que Zeev ne traite pas pour FINHOLD.
Je peux sauter ses dossiers, 200 de moins.
Je vais de plus en plus vite.
J'ouvre les fichiers les uns après les autres,
vérifie le taux horaire,
et si c'est 500,
je regarde le nom du dossier.
Des noms de sociétés.
Je dresse une liste.

À 18 h 30, j'ai récupéré 22 dossiers.
Je suis arrivé à la lettre R.
Tiens, encore un dossier à 500.

Je lève les yeux vers le haut de la feuille.
Rossetti c/ Copropriété Rembrandt.

J'hallucine.
La pute est dans la bande à Hagen !
Nous ne travaillons pas à l'œil pour elle,
c'est FINHOLD qui paie les honoraires.
Dire que j'ai eu l'info, sous les yeux,
à chaque fois que j'ai facturé.
Mieux vaut en rire.
J'essaie de comprendre.
Quel rapport entre Rossetti et Hagen, et Dressler ?
On peut exclure l'hypothèse de l'avocat pervers,
on est bien au-delà d'un plan sexe.
Alors quoi ?

18 h 45.
Virginie m'appelle.
Je dois rejoindre Éric dans son bureau.
Virginie, la nouvelle qui remplace Céline.
Pas le cœur à faire la connaissance de celle-là.
Pourtant, elle aussi risque de payer cher sa place.
Mais je ne suivrai pas ce dossier.

Éric et moi nous asseyons à la table ovale.
Pourquoi ne pas utiliser une salle de conférences ?
Je ne pose pas la question,
mais c'est évidemment délibéré.
Nous pointons une dernière fois
chaque point de la proposition.
Éric est d'une concentration impressionnante,
qui me rappelle les secondes qui précédèrent
son assaut contre Marc-Alain au tribunal.

Monsieur Gerber et son avocat sont arrivés.
Éric, en bras de chemise,
va les accueillir dans la salle d'attente.
Les trois hommes entrent dans le bureau.
La séance va commencer.

Je crois que j'ai bien choisi mon film.

Winning Ugly

I never play it fair
I never turn a hair
I wrap my conscience up
I'm never wrong at all

On commence par se serrer la main, toujours.
J'apprendrai qu'à la sortie, pas toujours.
Le handshake de Gerber est ferme.
Un petit homme sec, droit, nerveux,
sa soixantaine amaigrie par la maladie.
Cheveux et moustaches teints, visage émacié.
Les yeux noirs, un regard incisif, intense,
expression de son mépris pour la faiblesse.
La sienne, celle de son corps qui ne le suit plus.
Un costard fatigué, mais que je jurerais sur mesure.
C'était mon client, et en plus il m'est sympathique.
Secoue-toi, Tom. Gerber n'était pas *ton* Client,
et la sympathie est une notion inopérante dans le business.
Son – nouvel – avocat est plus quelconque.
Corpulence moyenne, une tête de moins qu'Éric,
ils ne boxent pas dans la même catégorie.
Sa cravate en laine bordeaux, qu'il lissera sans cesse
de ses doigts boudinés, est presque plus rédhibitoire

que son complet croisé gris plus cher que beau,
dont il tient la veste dûment boutonnée,
pauvre coquetterie de quadra pansu.
Maître Benedetti est l'avocat niçois de PRECA.
Après la défection de Zeev,
Gerber a dû se résigner à faire avec.

Éric commence par les remercier pour le déplacement.
Plus une trace de tension sur son visage.
Avenant, modéré de geste et d'expression,
tout en lui montre une volonté conciliatrice.
Il prend le temps de présenter son Client,
suggérant qu'il va jouer cartes sur table.
Ce qui donne :
« PREMIUM est votre concurrent.
Officiellement, c'est cette société qui me mandate.
Mais je ne vous cacherai pas qu'il s'agit d'une filiale,
la société mère étant FINHOLD, de nationalité suisse.
FINHOLD est la holding d'un groupe européen,
qui se développe dans la technologie domestique.
En tant que telle, FINHOLD n'est pas un opérateur,
mais une société financière, comme son nom l'indique.
Elle prend des participations, ou rachète, des opérateurs.
Son financement provient intégralement
d'établissements bancaires de premier rang,
ces banques étant elles-mêmes actionnaires de FINHOLD,
et siégeant d'ailleurs à son conseil d'administration.
Je suis mandaté par le président de la holding,
qui est un confrère (signe de tête à Benedetti),
Maître Antonio Hagen.
Je suis à votre disposition, confrère,
si vous souhaitez plus de précisions. »
Je suis mort de rire.
Éric n'a rien fait d'autre que donner des infos publiques,

que Benedetti pouvait obtenir sans peine.
« Hmm. Confrère, pardonnez moi de vous dire que,
pour l'heure, la qualité de l'acheteur est accessoire.
Nous y reviendrons à une étape ultérieure,
au cas où votre proposition serait agréable à mon Client. »

Eh ! moins craignos qu'il n'en avait l'air,
l'avocat de Gerber a commencé à se positionner,
sans paraître impressionné par les banques suisses,
sans que son propos dévoile que son Client est à la rue,
posant que l'intérêt de la réunion est encore à démontrer.
Je sais qu'Éric a capté tout ça, et plus.
Il propose d'entrer dans le vif du sujet.
« Nous sommes là pour ça, dit Gerber d'un ton neutre.
– Très bien, continue Éric.
Nous allons donc commencer par l'économie de l'offre.
Mon Client propose de racheter 100 % de votre capital.
Le montant arrêté ensemble sera payé comptant.
Tous les salariés seront repris. Aucun licenciement.
Bien entendu, ceux qui veulent partir seront accompagnés.
Enfin, vos administrateurs et votre P-DG seront indemnisés,
de sorte que personne ne soit lésé. »
Trop fort, Éric. Le P-DG, c'est Gerber.
Les administrateurs sont tous des gens de sa famille.
Si Gerber est accro au pognon,
il est forcément déjà embarqué.
Mais comment savoir ?
À ce stade, il n'en laisse rien paraître.

Au cours de la demi-heure qui suit,
les deux avocats discutent ferme sur la clé d'évaluation.
De ce que je parviens à saisir du débat,
Dressler défend le critère de rentabilité,
ce qui nous avantage puisque la boîte fait des pertes.

Benedetti plaide pour se baser sur le chiffre d'affaires,
ce critère lui évitant de parler de la rentabilité.

Je sens qu'Éric en est encore aux travaux d'approche,
J'ai l'impression de voir un grand cuisinier en toque,
qui n'en serait qu'à l'épluchage des légumes.

Au terme de ces premiers échanges,
Éric prend acte de la divergence.
Il propose que chacun renonce à sa méthode,
que l'on retienne ensemble un critère autre,
pour avancer les uns vers les autres.

Sans attendre la réponse,
il offre d'évaluer sur la base du haut de bilan.
J'ai bossé là-dessus, je vois où il veut en venir.
Le haut de bilan est la somme des capitaux propres.
Or les capitaux propres de PRECA sont négatifs,
à cause des pertes cumulées depuis deux ans.
Benedetti perd un peu de terrain.
Il ne trouve pas de motif pertinent pour refuser.
En même temps, il sait forcément que,
ex-avocats de Gerber, nous avons ses bilans.
Mais il n'allume pas ce pétard.
S'ils se sont quand même déplacés chez A&D,
c'est qu'ils ont l'intention de dealer.
Il tournicote, et finit par capituler.
Il reconnaît que les résultats des derniers exercices
ne permettent pas de valoriser fortement l'entreprise.
En d'autres termes, il vient de cracher
que le vrai prix est l'euro symbolique.
Gerber s'agite sur son siège.

Au lieu de profiter de l'avantage

pour les enfoncer sur le prix,
Éric ouvre les bras, et fait une première concession :
puisque les vendeurs sont transparents,
il s'en remet en toute confiance à Benedetti
pour fixer le montant.
Tu parles.
Éric est en train de couper les légumes en rondelles.

Benedetti jette un regard à Gerber. Mauvais réflexe.
C'est signe qu'il n'est pas certain que son Client le suive.
Benedetti propose de présenter les éléments « concrets »
sur lesquels ils évaluent la société.
Nous écoutons.

Il détaille la valeur du bail de chaque magasin,
puis les stocks dans chaque catégorie de marchandises.
Total de ces deux premiers postes : 800 000 euros.
Pour finir, il parle des comptes courants.
La famille Gerber a injecté 200 000 euros dans la boîte.
Elle a droit de demander à se les faire rembourser.
Coût total de la proposition Benedetti : 1 000 000 d'euros.

Éric met au feu une marmite à moitié remplie d'eau,
et y jette les légumes coupés en cubes.
Il se gratte discrètement la paume de la main,
comme s'il était ennuyé d'avoir à répondre.
Il remercie Benedetti de son offre,
parce que le critère est, dit-il, tout à fait loyal.
C'est pourquoi il fait une deuxième concession :
il ne demandera pas de garantie de passif.
Gerber ne peut cacher son étonnement.
Nous savons qu'il est criblé de dettes,
nous ne lui demandons pas de payer le passif,
tout en étant d'accord pour lui payer l'actif !

Benedetti est sur les talons.

Éric poursuit en proposant de reprendre chaque élément
composant l'actif évalué à 800 000 euros.

S'ensuivent trois quarts d'heure d'examen impitoyable.
Sans notes, Éric corrige l'évaluation de chaque magasin,
sur la base de chiffres obtenus chez un expert judiciaire.
Il s'en prend ensuite à la valorisation des stocks.
Relève que leur évaluation est basée sur le prix d'achat.
Rappelle qu'il s'agit de matériels à obsolescence rapide
compte tenu des innovations techniques permanentes.
Il faudrait donc provisionner cette dépréciation.
Et au-delà de la méthode comptable,
ajoute Éric,
le calcul devrait tenir compte de l'aspect commercial :
après six mois de stockage,
on ne peut que solder.
De plus, la concurrence réduit l'impact des remises de prix
puisque les produits PRECA sont beaucoup plus chers.
Sur chaque point, Éric propose une évaluation minorée,
plus précise selon lui, plus en phase avec le marché.
Le regard de Gerber est fixé sur le visage d'Éric.
Il a l'air percuté par la précision de nos chiffres.

Éric conclut en chiffrant à 160 000 euros les actifs.
En clair, il leur signifie qu'ils essaient de le truander
en prétendant nous faire gober une valo à 800 000.

Benedetti se retourne carrément vers son Client.
Il a jeté l'éponge, et compte sur Gerber pour contester.
Éric s'intercale, et offre une troisième concession :
même s'il est d'usage, dit-il, que dans une vente,
les actionnaires abandonnent leurs comptes courants

lorsque la société est en perte, il serait acceptable,
dans notre cas, de payer les 200 000 euros
représentant les comptes courants de PRECA,
c'est-à-dire l'argent injecté par la famille Gerber.

Gerber résume sombrement :
« Votre prix est donc de 360 000 euros. »
Éric lui sourit, rassurant.
Il rappelle qu'il ne s'agit que du prix de l'entreprise,
mais que notre offre contient des volets supplémentaires.
Il propose que nous continuions après une petite pause.

Deux heures de négo viennent de passer comme l'éclair.
Éric fait apporter des plateaux de sushis et des boissons.

Benedetti s'éclate les baguettes.
Bizarre, ce type qui vient de se faire enfoncer
sans que ça lui coupe l'appétit, bien au contraire.
Courtois, Éric s'ajuste sur la gloutonnerie du confrère.
Gerber se contente d'un café.
Je picore, préférant fumer.

L'atmosphère ne se réchauffe pas vraiment.
T'as pas un peu foiré, sur ce coup-là, Éric ?
Pour les occuper, il me demande d'évoquer le volet social.

Je prends la parole.
Bonne surprise, je suis à l'aise.
J'annonce la couleur
le plus succinctement possible :
Nous garantissons le maintien des postes sur six mois.
Ceux qui veulent partir seront licenciés économiques
et recevront, au-delà de leurs droits,
six mois de salaire en indemnité.

Benedetti termine son plateau.
Gerber comprend qu'il est seul.
Il décide de nous tester en parlant de ses employés,
et demande une garantie d'emploi de dix-huit mois.

Éric reprend le lead :
Nous ne pouvons aller plus loin que notre mandat.
En revanche, et c'est notre quatrième concession,
nous assurons les arriérés et les salaires de décembre.

Gerber se contracte,
comme s'il venait de recevoir une gifle.
C'est le cas,
Éric a impitoyablement souligné la triste réalité :
Gerber ne peut pas assurer la prochaine échéance.
Le chef vient de tordre le cou de la poule.

Virginie vient débarrasser la table de travail.
Éric demande que nous fassions la revue du personnel.
Il s'agit, prétend-il,
de vérifier le coût social de l'opération.

De la poudre aux yeux.
FINHOLD se fiche du coût des salaires sur six mois.
J'ai l'impression qu'Éric cherche à les fatiguer.

Gerber s'interpose, en parlant d'une voix sourde.
Il veut convenir du prix avant d'entrer dans les détails.
Éric explique calmement
que le coût social entre pour nous, c'est évident,
dans la détermination du prix total.
Gerber se retourne vers son avocat,
qui lui fait un signe de tête apaisant.

Il est 23 heures quand nous refermons le dossier social.

C'est satisfaisant, résume Éric.
Il a une façon subtile de se montrer puant
tout en restant courtois.
S'il a mis sans trop de mal Benedetti sur le flanc,
il doit sentir qu'avec Gerber, plus coriace,
il faudra jouer le rapport de force.

Sous la direction d'Éric, nous traitons le point suivant.
Le sort des administrateurs et du président.
Il annonce la couleur, poliment mais sans ménagement.
Nous représentons des banques, dont aucune ne validera
l'achat d'une société en perdition pour plus d'un euro.

Benedetti voit le coup venir.
Il a l'énergie d'interrompre Éric,
proteste contre le terme de perdition,
rappelle que le tribunal les autorise à fonctionner.

Éric riposte.
Pour des banquiers suisses,
les comptes de résultat de PRECA obligent
au dépôt de bilan.
Alors pourquoi n'attendraient-ils pas quelques semaines ?
Gerber craque, il me demande une cigarette.

Éric, rigoureux, reprend le raisonnement interrompu.
Compte tenu de la situation comptable de la société,
les actions devront être cédées à un euro symbolique.
Et les comptes courants devront être abandonnés.
Le montant de 360 000 euros, que nous offrons,
sera versé aux administrateurs et au P-DG,
sous forme d'indemnités.

De cette manière,
le montage est acceptable pour les banques,
et les vendeurs touchent intégralement la somme promise.
Évidemment, la répartition de cette somme peut se faire
de telle sorte que le P-DG en reçoive la plus grande part,
ce qui est justifié puisqu'il perd son emploi.

Benedetti est scotché.
Gerber s'énerve enfin.
C'est lui qui remonte au front.
Il rappelle que depuis le début de la soirée,
il a été question de vendre la société
et d'indemniser sa famille.
Et non de payer une chose pour l'autre !

Éric, qui vient de plumer la poule,
se fend d'une cinquième concession :
les 360 000 euros seront versés en *triple net*.

Interrogation muette de Gerber à son avocat.
Éric, cruel, laisse son confrère assumer son ignorance.
Benedetti finit par demander ce que signifie cette formule.
Éric se tourne vers moi, retournant le couteau dans la plaie.
C'est un stagiaire qui va expliquer le business international
à un avocat chevronné, devant son propre Client.

J'essaie de rester neutre dans mon intervention :
Quand nous travaillons avec la France,
État surtaxé, nous raisonnons en net,
après déduction de tout assujettissement.
Les montants proposés sont donc payés tels quels,
nets de charges sociales, de CSG-CRDS, et d'impôt.

Benedetti retombe au fond de son siège.

Le chaud et froid auquel joue Éric le décourage.

Le pauvre Gerber mord à l'hameçon.
Il demande quelles garanties FINHOLD propose
pour l'assurer que ses charges et impôts seront acquittés.

Dans la marmite,
Éric jette des herbes et verse quelques épices.
« Vous n'avez pas à vous soucier de garanties,
cher monsieur.
Les sommes vous seront virées de banque à banque,
sur des comptes que vous pourriez ouvrir à Genève.
– Autrement dit (Gerber rougit de colère),
ça ne vous coûte rien,
et je supporte le risque de redressement.
– Zéro risque, répond sèchement Éric.
Compte numéroté. Banque suisse.
Nous nous occupons des déclarations administratives
pour attester que cet argent n'est pas d'origine douteuse.
Vous savez bien, confrère, les procédures antiblanchiment.
– Naturellement », consent Benedetti, dépassé.

Il verse le fond du flacon de saké dans sa coupelle.
Le remontant lui redonne un peu d'énergie.
L'avocat d'affaires est payé pour se battre.
Il essaie encore de relancer la négo :
« Nous avons bien compris l'économie de votre offre.
Le problème est que nous sommes loin les uns des autres
s'agissant du montant global. Beaucoup trop loin.
J'aimerais y revenir quelques minutes.
– Confrère, j'ai un mandat écrit.
Je vous ai donné le montant qui y figure.
Je n'ai pas le pouvoir d'y ajouter un euro.
Je vais bien sûr vous faire consulter ce mandat.

Ça ne vous engage à rien,
vous pourrez confirmer ma bonne foi à votre Client,
et vous pourrez toujours, bien entendu, refuser l'offre.
Mais je n'aurai la possibilité de vous le présenter
qu'après avoir vérifié tous les points du dossier. »

Benedetti se résout à replonger dans les papiers.
Long moment d'échanges techniques entre les avocats.
Mandats des administrateurs,
montant des jetons de présence,
structure de rémunération de Gerber en qualité de P-DG,
les grandes lignes de la transaction à établir,
les modalités de cession des actions.

À une heure du matin,
Éric considère que le pot-au-feu est cuit.
Il présente le mandat de Hagen à Benedetti,
qui fait des efforts pour rester concentré.

Je sais que le mandat confirme exactement l'offre.
Après lecture,
Benedetti hoche la tête en direction de Gerber,
qui croit conclure avec quelques mots de remerciement.
Il va rentrer à Nice, réfléchir,
et éventuellement nous rappeler.
Mais Éric a terminé la cuisson et décidé de se mettre à table.
Il sert la recette du chef :
« Cher monsieur,
Notre proposition est à prendre, ou à ne pas prendre.
Elle est suffisamment généreuse... »
Gerber explose :
« Mais vous vous prenez pour qui ?
Je n'ai pas passé ici des heures

pour finir sur un ultimatum.
D'ailleurs où est Maître Rohach,
il n'ose pas se montrer ?
Qu'est-ce qu'il pense de votre chant... »
Benedetti coupe son Client avant que ça ne dégénère.
« Monsieur Gerber a parfaitement raison,
dit-il d'une voix forte.
Et vous savez bien, confrère, que votre cabinet ne peut pas,
déontologiquement, intervenir contre votre ancien Client.
Vous devriez, à la limite, vous déporter.
Monsieur Gerber est là à titre informel, et... »
Éric ouvre les bras et hausse le ton :
« Pardonnez-moi de vous interrompre, confrère.
Mon jeune associé a accepté de défendre PRECA
alors que FINHOLD était déjà Cliente du cabinet.
Vous connaissez la règle dans ce genre de situation.
L'avocat en second se déporte.
C'est exactement ce qu'a fait Zeev Rohach.
– Vous acceptez que je soumette la difficulté
à mon bâtonnier ?
– Vous êtes libre, confrère, mais... »
Éric déguste la poule :
« Mais que parviendriez-vous à obtenir ?
Que mon cabinet se dessaisisse de cette affaire ?
Et après ? Vous aurez un autre confrère en face,
et le prix que je vous propose aujourd'hui aura baissé. »
Benedetti se fait embarquer :
« Comment ? Le prix va baisser ?
– Oui, chaque jour qui passe, l'offre diminue.
Reprenez le mandat, si vous le voulez bien.
Vous noterez qu'il stipule que le montant de 360 000 euros
est arrêté au 15 décembre
– nous y sommes depuis une heure –
cette valeur tendant vers zéro au 31 décembre.

C'est indiqué en toutes lettres, n'est-ce pas ?
Nous savons tous ici qu'à cette date,
vous aurez déposé le bilan.
Pour être parfaitement clair, chaque jour qui passe,
notre prix baisse de 22 500 euros. »

Sonné, Benedetti cherche la riposte.
Gerber lui fait signe de se taire.
« Je voudrais parler quelques minutes avec mon avocat.
Seul à seul.
– Très bien, répond aimablement Éric.
Vous pouvez rester dans mon bureau.
Mais je regrette d'avoir manqué à mes devoirs d'hôte.
À cette heure tardive, je devrais vous offrir un verre. »

Éric se lève et va se poster devant le bar mural,
installé derrière son siège, et face au binôme des Niçois.
Son corps massif empêche Gerber de voir la petite armoire.
Éric interpelle Benedetti :
« Confrère, un bon whisky conviendrait, n'est-ce pas ? »

Benedetti lève les yeux vers Éric,
occupé à ouvrir le bar
et à choisir un flacon d'alcool.
Sur l'étagère supérieure brille un gros revolver.
Éric referme le bar.

Il dépose le flacon et des verres,
et me fait signe de le suivre.
Nous nous retirons dans le bureau contigu.
L'ex-bureau de Céline.

Sur des charbons ardents, je l'interroge :
« Le flingue, c'est exprès ?

– Ça marche parfois, tard dans la nuit,
à l'heure des fantômes.
Il faut choisir le plus faible des adversaires à la table.
– Vous avez délibérément donné le dos à Gerber ?
– Exact. Son avocat est fatigué et peureux,
vous avez vu qu'il ne m'a pas affronté pendant la séance.
Et je ne cours pas grand risque.
Son Client étant très demandeur,
il n'aura jamais les couilles de se scandaliser
et de claquer la porte.
– Et vous ne craignez pas
qu'un de vos invités se serve de l'arme ?
– Aucun risque.
Le bar est verrouillé par une commande digitale,
intégrée dans son encadrement. »
Je ne m'étonne plus de rien.
« Et maintenant, vous croyez qu'ils vont accepter ?
– Évidemment, Gerber est kaput.
La question n'était pas là.
Ma mission était de le faire signer
aujourd'hui même.
L'objectif est, je le crois,
atteint, vous allez le vérifier.
Dire que ces imbéciles auraient pu prendre largement plus.
Ma coquetterie aura été de leur serrer le kiki,
au chiffre plancher. »

Got My Mojo Working

I don't know what to do

Ce matin, je vole au radar.
Pas pu m'adapter tout à fait au rythme des avocats.
Si j'arrive à suivre plus ou moins pendant la semaine,
le vendredi je paie cash le manque de sommeil.
Et puis il y a eu cette dernière nuit.

Comme l'avait prévu Éric, ils ont cané.
Il nous a fallu trois heures pour finaliser les actes.
Dressler et Gerber ont signé à 4 heures du mat'.
On s'est serré la main en se quittant.

Pas l'énergie pour finir mon enquête sur le micro.
Je barre la journée de lundi prochain sur mon agenda.
En travers, j'écris Dossiers FINHOLD Compta.

Je peux me lancer dans le rapport de stage.
Page blanche sur Word.
Que raconter ?
Je suis ailleurs, encore dans la négo.

Le sentiment étrange apparu pendant la soirée
s'est incrusté, sans que j'y puisse rien.
J'ai été, malgré moi, fasciné.

D'un côté, la maîtrise de Dressler.
Sept heures à la table sans une seule bavure.
Un homme qui se serait débarrassé de ses affects
pour affûter l'intelligence, la lucidité, la volonté.
Un avocat plus grand que ce que je pouvais imaginer.
S'il se mettait au service de la justice,
je pourrais passer mes journées à ses côtés,
admirer et apprendre, sans me lasser? Si.

Mais il y a l'immoralité du personnage.
Écraser l'autre s'il est plus faible.
Cette violence est plus que sauvage,
parce qu'elle est admise, et même applaudie.
Je gerbe sur la violence légale.

Tout ça pour du blé.
Tout le talent des lawyers de ce cabinet
s'emploie à assouvir des pulsions de rapaces.
Celles des clients, et les leurs.
Tel avocat, tel client.

Et puis Céline, un peu comme Gerber,
victime de cette brutalité.
Il y a encore trois mois,
j'aurais probablement réglé le compte d'Éric,
je lui aurais pété un genou, l'aurais achevé à terre,
violence contre violence,
la mienne, physique, insignifiante,
en réponse à la sienne, sociale, invincible.

Mais voilà, je ne l'ai pas fait.
J'ai joué le jeu.
Je n'ai même pas réagi quand,
après le départ des Niçois,
il m'a accordé, en même temps qu'une tape dans le dos,
ce qu'il pense être le top du compliment :
« Allez, bonne nuit, graine d'associé. »

Que répondre à ça ?
Qu'en ce moment je ne sais plus où j'habite,
pas parce que je suis chaviré par sa phrase,
mais parce que j'ai perdu mes repères ?

Je pense à Doumé, mon coach,
qui me fait purger une peine d'un trimestre.
Je suis interdit de salle, et ça ne me manque pas.
Je n'aurais jamais cru ça possible.

Et je pense à Carole.
Je voulais me faire une avocate,
pas tomber amoureux d'une meuf hypercarrée.
Quel rapport entre elle et moi ?
Elle était aussi à l'aise au Gibus
que moi à faire pisser le setter de Zeev.

Merde, le chien !
Il est temps de le faire descendre.

Dans la rue, je fais le pied de grue.
La petite crotte à poils renifle les murs,
cherchant l'inspiration.
Je rallume mon portable.
Trois textos, dont un de Carole.

Tu pas joignable cette nuit. Blokée aujrdhui ds 1 banque avec des CAC [1]. Call me ce soir même tard, je veux te parler.

Elle veut !
J'adore ses « je veux ».
En fait, de ce cabinet qui me lime les crocs,
de ce boulot qui veut me transformer en col blanc,
je pourrais tout jeter et ne garder que Carole.

Et elle, elle le ferait, pour moi ?
Sûrement pas, même en cauchemar.
Encore une ressemblance avec Zina.

De retour au cabinet,
je retrouve le fichier Rapport de stage.
J'ai tapé trois lignes d'intro : Présentation du cabinet.
Je suis censé inclure une problématique juridique,
étudiée en cabinet à l'occasion des dossiers.
C'est pas dans la poche.
Et si je racontais mon stage au quotidien ?
Ne serait-ce que l'histoire de l'avocat et de la prostituée.
Je rigole tout seul.
Rossetti !
Je referme le dossier Stage.

Le dossier Rossetti / Dressler.
Les honoraires payés par Hagen en clando.
Je revisite l'affaire sous toutes les coutures.
Échafaude des hypothèses, sans arriver à rien.
Et si c'était pas une pute ?

---

1. Commissaires aux comptes, chargés de faire la police comptable dans les sociétés commerciales ; contrairement à la police nationale, ils sont payés par ceux qu'ils contrôlent.

Je sais pas comment c'est venu,
mais ça s'est s'imposé à moi, total évident.
Faut que j'y aille.
Vérifier sur place.
Je fais partie de son équipe d'avocats,
c'est moi qui traite son dossier.
Il me faut juste un prétexte.
Vérifier la configuration de l'immeuble.
Des parties communes.

Mais je ne tarde pas à réaliser.
Ça ne fonctionnera jamais.
Même si j'invente un pipeau,
impossible qu'Éric ne l'apprenne pas.
Et de ça, j'ai pas envie.

À moins que.
Un plan client.
Elle ne me connaît pas.
Dans une semaine, je quitte le cabinet.
Qu'est-ce que je risque ?

Je me lève et fais les cent pas dans mon bureau.
Plus exactement, trois pas, demi-tour, et once again.
Je crame des neurones à tout-va.
J'y tiens plus.
Let's do it.

J'appelle le numéro de la pub.
Le message (c'est le mien) donne un numéro de portable.
J'appelle, une voix de femme, sans accent corse.
Je veux passer un bon petit moment ?
Je suis déjà venu ?
Je m'appelle comment ?

Je m'appelle Jacky, je joue au micheton.
Elle me fixe rencard chez elle ce soir à 22 heures.
Raccroche avec un « À tout à l'heure » très neutre.
Elle doit faire gaffe avec les inconnus.

En tout cas, jusque-là, ça a l'air d'être une vraie.
Si ça se confirme, je vais devoir me taper une pute de luxe.
Il y a plus malheureux.

Faut que je prépare mon coup,
je ne connais pas la procédure.
Qui pour me briefer ?
Sûrement pas quelqu'un en interne.
Reste ma bande de vieux copains,
les cinq avec qui, depuis le lycée,
je passe une nuit par mois à teufé.
Le plus apte à me répondre est Dov,
et lui au moins ne pose pas trop de questions.
C'est bon. Je l'appelle :
« Dov, tu vas ?
– Je bosse, fils.
– Comment vont les affaires ?
– Faut que je te voie, mon patron propose de me vendre sa boîte.
– Attends au moins que je m'installe !
En tout cas, ça a l'air d'aller pour toi.
Est-ce que je peux te demander un tuyau ?
– T'as un blème ?
– Non, au contraire.
J'ai un plan ce soir chez une pute de luxe.
Ça marche comment ?
– Pourquoi tu me demandes, à moi ?
– Zy-va, mec, ça marche comment ?

– Comme une pute normale, ducon.
– Sérieux, Dov, je veux faire le mec habitué,
qui s'éclate avec les petites annonces.
– Mais je *suis* sérieux !
C'est plus cher, elles sont plus classe,
mais ça reste des putes, tu vois ce que je veux dire ?
– ...
– OK, Tom. Elle va te faire choisir une capote.
Elle va essayer de te faire payer plus que le tarif
en te proposant une de ses spécialités, soi-disant.
– Genre ?
– Ça dépend de la meuf.
Plan SM, scato, tous les trucs zarbi.
Il y en a même qui leur langent le cul, aux pervers.
Le seul truc qu'elle fait pas, la pute de luxe,
c'est accepter plus d'oseille pour niquer sans capote.
Tout le reste, c'est bon, tu vas t'éclater.
Dis-moi, elle prend combien ?
– 300. »
Il éclate de rire.
« Tu déconnes ? C'est pas le prix,
ou alors y a erreur sur la marchandise.
– C'est quoi le prix ?
– Chais pas, je suis plus sur le marché.
Je dirais deux ou trois fois plus,
si elle te reçoit chez elle,
et encore plus si tu la sors en ville.
C'est quoi le plan ? Explique.
Qu'est-ce que tu vas lui faire ?
– J'ai l'après-midi pour y réfléchir !
Merci, Dov. On joue la semaine prochaine ?
– Je t'ai laissé un message, dugland.
Mardi, chez moi. Tu nous raconteras ?
– Ça tu peux en être sûr.

Allez, ciao, encore merci.
– Hé Tom ! Discretos avec ma meuf ! »

J'ai tout noté sur le bloc jaune.
Ce soir, belle Rafaella,
tu vas passer tous les tests.

Bitch

Sometimes I'm so shy, got to be worked on

Je dîne à la maison.
Les parents sont enchantés, je travaille dur,
je rentre tard sauf le vendredi, veille de week-end,
je file vers un top diplôme et du boulot assuré.
Ainsi doit tourner le monde selon papa.
Quand maman papote avec ses copines,
ça doit donner : « On revient de loin avec Tom. »

Je la félicite pour sa cuisine indépassable.
J'évite de croiser son regard attendri pour le petit
qui a bien mérité de sortir se délasser avec ses amis.
Le petit l'embrasse sur le front,
rituel avant chaque interro.

Mais ce soir, c'est moi l'examinateur.
Ma check-list en tête, je descends.
J'ai le temps pour un remontant au troquet.
Envie d'appeler Carole. Non, après.

Je contourne à pied le parc Monceau.

La rue Rembrandt est déserte.
Première ligne de ma liste :
le « Chinois » mentionné par un voisin.

Je m'arrête devant le digicode. Une portière claque.
Un homme descend d'une voiture et vient taper le code.
Asiatique. Sans un mot, il me fait signe d'entrer.

Quatrième étage, a dit Rafaella.
Pas tout à fait à l'aise.
J'aurais dû avaler un cognac de plus.

Elle m'ouvre, je reconnais la photo.
Non, c'est l'inverse. Peu importe.
Grande brune, la quarantaine traitée au Vitatop.
Ample pull-over en cachemire, pantalon pattes d'ef.
Le look bourgeoise du quartier.

Elle me dirige vers le salon.
Me fait asseoir sur le canapé.
Je pose mon manteau près de moi.
De l'autre côté de la table basse,
l'hôtesse, très droite dans son fauteuil,
m'informe sur les tarifs et la prestation.
« 300 euros, une demi-heure.
Tu passes un bon moment garanti.
Je me déshabille, ou m'habille,
dans le style que tu choisis. »

Là, c'est avéré, c'est vraiment une pute.
On va joindre l'agréable à l'utile.

Mon deuxième test : la carte de crédit.
Elle me dit que c'est possible.

J'ouvre mon portefeuille,
fais mine de la chercher sans succès.
Pas question de retrouver mes coordonnées bancaires
chez le juge.
Je lui tends le compte en billets.

Alors seulement elle propose les extras.
Pour un supplément, j'aurai droit à ce dont je rêve.
Je décline en bafouillant un peu.
Le vrai micheton.

Elle se lève, me demande ce que je choisis comme tenue.
Qu'est-ce qu'un mec de mon profil demande ?
Lingerie fine et jarretelles, c'est banal.

Elle quitte le salon en m'autorisant à me servir à boire.
Merci m'dame, c'est ce dont j'avais besoin. Je me sers.
Rien à tirer de l'ameublement du salon, impersonnel.

Elle réapparaît, costumée comme pour un porno.
Mon mobile se met à jouer *Smoke On The Water*.
Je fouille mon manteau.
« Avocate + + + » est affiché à l'écran.
Merde, Carole. Je clique sur « ignorer ».

La belle m'invite à la suivre.
Direction la salle de bains.
Elle me place devant le lavabo,
défait ma ceinture, dézipe la braguette.
Ouvre le robinet d'eau chaude.
Elle se colle derrière moi,
passe les bras autour de ma taille,
et me fais la conversation,
en même temps qu'un brin de toilette.

J'ai beau avoir ses seins dans le dos,
ses mains qui savonnent mon jouet préféré,
je ne suis pas du tout en forme pour m'amuser.

Direction la chambre.
Autour du grand lit sont disposés les outils de la pro.
L'écran panoramique en toile
face au projecteur fixé au plafond,
une bibliothèque de DVD et de magazines,
plus photo que texte,
sur un meuble étagère,
une collection éclectique de sex toys,
sur la table de nuit l'espace cosmétique et hygiénique,
avec les crèmes et onguents utiles à l'opératrice.

Rafaella ouvre une jolie mallette de chez Mariage Frères.
Des préservatifs remplacent les rangées de sachets de thé.
Explications techniques, je choisis « extreem ».

Quelque chose cloche.
Cette chambre est trop... parfaite, tout y est trop en place.
Comme si la propriétaire voulait qu'en cas de contrôle,
une descente de flics, un constat d'huissier,
la destination du lieu soit évidente.
Pas des massages relaxation.
Du sexe, hard.

J'ai comme l'impression d'évoluer dans un décor.
La scénariste m'invite à me déshabiller.
Malgré tout le soin apporté à la composition,
l'ensemble manque de vérité.
Pas assez...
« Tu gamberges beaucoup, toi !
Je vais m'occuper de ton cas. »

Rafaella, à genoux,
s'adresse à mon joystick.

Elle maîtrise les opérations de réanimation.
Quand elle juge le résultat satisfaisant,
elle entreprend la phase d'emballage.
Là, j'avais prévu un nouveau test.
Lui offrir un bonus pour le sans-capote,
la bonne réponse étant non, d'après Dov.
Mais un peu déprimé, je renonce.

Elle m'attire vers le lit.
D'une voix un peu rauque,
demande ce que j'aime comme position.
Je réponds : Éteignons la lumière.
L'abat-jour rose de la table de chevet disparaît,
et avec lui cette belle femme dont je n'ai pas envie.
Dans l'obscurité, j'imagine Carole. Let's go.

Il y a pire corvée, j'aurais pu solder en vitesse,
mais je dois faire avec sa conscience professionnelle.
Elle veut m'en donner pour mon argent,
ou peut-être garantir la bonne fin.
L'image étant coupée au montage,
elle pousse le son, se met à gémir.
Pas de plaisir, trop fine mouche ; de douleur.
Ça tombe mal, le viol est pas dans mes meilleurs plans.
Qu'elle se taise, sinon j'y arriverai jamais.
Je lui mets deux doigts dans la bouche.
Docile, elle mord ce client qui aime avoir mal...
tout en gémissant de plus belle, à l'étouffée.
Mais c'est toi qui me fais mal, Rafaella !

Bon, je finis par arriver au bout.
Elle soupire, rallume.
De retour de la salle de bains,
je la trouve en soie, une cigarette à la main.
À nouveau cette impression de cliché.
Je me rhabille, remercie.
Elle me fait passer devant elle,
me raccompagne à la porte.

Je fais un rapide détour par le salon
pour récupérer mon manteau.

Jackpot !

Sur le mur derrière le canapé où je m'étais assis,
je repère le bar mural vu dans le bureau d'Éric.
Sans poignée. Encadré de la baguette dorée.
Aucun doute, c'est le même.

Yes ! Allright !
Envie de sauter en l'air.
D'un coup la pêche me revient.
Mon aventure n'a pas servi à rien.
Je souhaite bonne nuit à Rafaella,
pour un peu je lui ferais la bise.

Carol

Don't let him steal your heart away

Le garde du corps est toujours là,
en planque dans sa voiture.
Je m'éloigne à grands pas.
On réfléchira plus tard au dossier.
Il est à peine 22 h 30,
Carole veut me parler, même tard.
Place à mon avocate plus plus plus,
qui doit commencer à se morfondre.

Elle décroche tout de suite.
« Je te dérange, Carole ?
– Non, j'attendais ton appel. »
Elle a une drôle de voix.
« Tu vas bien ?
– ... Oui.
– T'as une voix fatiguée ; c'est ta journée ?
– Non, oui, peut-être. »
Bruit de fond.
« T'es chez toi ?
– Non, je passe la soirée chez Marie.

Attends, je vais m'isoler.
Au fait (sa voix se fait plus gaie),
tu es invité vendredi soir prochain à une superfête.
Marie et Gaëlle organisent un préréveillon de Noël.
Tu fais partie de leur liste réservée aux VIP du cabinet. »
Je m'arrête, malgré moi, de marcher.
J'ai une superintuition pour les catas avec les meufs,
et là, je la sens pas du tout, Carole.
« Fais-leur la bise pour moi. Je serai avec vous, bien sûr.
Tu y seras aussi ?
– ... »

Je vois un avion en flammes foncer vers le sol.
Deux secondes de silence.
Une avocate qui se tait.
L'avion s'écrase.
T'as plus besoin de parler, mon amour.

Mais je reste accroché à mon portable.
Peut-être que j'attends ça, qu'elle le dise.
Qu'elle éteigne la fragile lueur qui survit
tant que ce n'est pas dit avec des mots.

Et peut-être que je vois des fantômes.
Même serré, le cœur peut se tromper.
C'est peut-être le froid.
Ou juste la peur que ça puisse arriver.
Qui aime sans peur ?

Carole finit par se décider.
Sûrement sa plus mauvaise plaidoirie :
« Tom, je voulais te parler hier matin.
On n'a pas eu le temps.
Je voulais te voir hier soir,

je n'ai pas réussi à te joindre.
Désolée de te dire ça au téléphone,
mais voilà, ne prends pas mal ce que je vais te dire. »

Elle le dit.
Elle casse, elle me casse, me fracasse.

Au moins, elle ne m'a pas demandé si je lui en voulais.
Et je ne lui ai pas demandé ce qu'il a de mieux que moi.

Non je ne t'en veux pas, Carole.
Et je sais qu'il n'a rien de plus que moi.

Je n'étais pas assez bien pour toi, c'est tout.

Ma main est restée crispée sur le portable.
Marques de dents sur mes phalanges.

Mais qu'est-ce que je peux bien en avoir à secouer,
de leur cul à tous, Rossetti, Carole, Céline, Éric,
et de leur cabinet de nuisibles ?

Je vais liquider ce rapport de stage,
et me casser de l'autre côté de la planète.

En attendant Bali, je prends la direction du Lawyers Pub.

Pourquoi tu m'as basé, Zina ?

Sympathy For The Devil

If you meet me have some courtesy and some taste
Use all your well learned politesse

Jeudi 21 décembre.

Mon avant-dernier jour de stage.
Depuis une semaine, ma vie est une double ivresse.
Chaque soir, je fais la fermeture du Lawyers Pub.
Ensuite, je finis la nuit là où la musique est forte.

No news de Carole.
Pratique, la disposition des locaux.
Chacun dans son aile et c'est très bien.
Je n'irai pas à la soirée demain soir,
qui remarquera l'absence du stagiaire ?

J'ai croisé deux fois Johnny au pub.
Il est bien, ce mec.
M'a pas posé de questions.
On a bu quelques coups ensemble.
Il m'a rappelé son invitation pour aujourd'hui,
l'audience correctionnelle dans l'affaire Motta.

C'est le dossier du violeur d'enfants.
Je n'avais pas voulu rester sur ma fuite,
je suis retourné à l'instruction,
j'ai fait le boulot.

En fait, pas grand-chose à préparer en pénal,
du côté partie civile.
Le boulot se concentre sur la plaidoirie.
J'ai quand même fait mon rapport à Johnny.
Il l'a lu, m'a posé des tas de questions.
Un faux dilettante, celui-là.

Trois mois de coexistence,
et je ne l'ai pas vraiment cerné.
Il est tout le temps décalqué,
l'air triste et la peau ravagée,
il se sape comme un chanteur de charme italien
qui aurait oublié de se changer depuis 48 heures,
on le croirait infoutu de mémoriser une date d'audience,
et sa légère claudication accentue l'impression
qu'il traîne toute la peine du monde en bougeant.
Mais d'après Delphine,
il est réputé pour ses plaidoiries politiquement incorrectes,
et sa manie de pisser en fin de soirée dans les ascenseurs.
Qu'il soit bon, c'est évident, il a sorti le gros dealer.
Mais ce qui m'étonne, c'est sa faculté à s'intéresser
à tous les dossiers, du plus gros au plus anodin,
et à toujours résumer le débat en une ou deux phrases.

Quand il est revenu de sa correctionnelle à Besançon,
je l'ai entendu débriefer avec Delphine,
et ça a duré moins de deux minutes.
Pourtant l'affaire était presque incroyable.
Un jeune avocat déféré en correctionnelle pour

« masturbation contre une spectatrice
dans un concert de rock ».
Test ADN à l'appui... Donc, circonstance aggravante,
il était allé au bout de sa démarche.
Débriefing de Johnny :
S'il s'était agi d'un petit branleur de la zone,
les flics n'auraient même pas relevé.
Mais un avocat branleur et non intégré au milieu local,
le système flics-justice ne le ratera pas, qu'on se le dise.
Avant l'audience, Johnny en avait pronostiqué l'issue :
amende pénale, inscription au casier judiciaire.
On peut être viré du Barreau pour ça ?
Pas de jurisprudence, alors comment savoir.
Johnny s'était autant investi dans cette affaire
que dans celle du dealer, et sur ce coup,
il était clairement désintéressé.

Alors, pour voir et entendre Johnny plaider,
je me suis arrangé pour être clair aujourd'hui.
Le jour du pédophile, de l'immonde, est venu.

Nous rejoignons ensemble, Johnny et moi, le Palais.
Je m'évertue à marcher lentement, un poil en retrait.
Je n'ai pas osé lui demander un pronostic,
peur d'entendre que le type pourrait ne pas faire de taule.

Johnny n'a pas l'air tendu, je le suis pour deux.
Comment supporter de perdre cette affaire ?
Comment pourrais-je passer mon temps,
peut-être toute ma vie, à risquer de foirer,
ou foirer, régulièrement,
dans des histoires pareilles ?

Nous arrivons au Palais.

Reste plus qu'à faire confiance au boss.

Couloirs. Johnny salue des robes noires.
Il porte la sienne sur le bras.
Le stagiaire porte cartable et dossier.

Devant la salle du tribunal, attroupement.
Autorisé ou non, pas mal de gens clopent sec
en attendant le début de l'audience.

Attendre, toujours attendre.
Johnny disparaît à l'intérieur de la salle.
Je suis planté là tout seul, sur les nerfs.
J'essaie de me plonger dans le dossier.
Idiot, comme si je révisais un oral.
Je me force à lire.

« Confrère ?
Vous intervenez pour la famille Motta ? »
Je lève la tête.
Femme, quarantaine,
lunettes sur le nez, en robe.
Sous le bras, un dossier à sangle titré du nom de l'enflure.
Je la dévisage un instant, hésite, finis par répondre :
« Pour les victimes, oui... »

Je dois avoir l'air si méchant
qu'elle écarquille les yeux et bat en retraite,
bafouillant une phrase que je ne capte pas.

Je me replonge dans les dépositions des gosses.
Comment peut-elle défendre ce fils de pute, ce...
Et si on faisait ça à son gosse à elle ?
Et puis merde, je suis trop énervé.

Je referme mon dossier.

Ressors mon paquet de clopes.
Je m'abîme dans la contemplation du plafond,
quinze mètres au-dessus de ma tête.

« Bonjour ! »

Je baisse la tête vers un type qui me tend la main.
Trente-cinq ans peut-être, la bouille ronde,
en blue-jean propre et blouson fourré.
Visage quelconque.
Physique de Français moyen.
Son autre main tient une cigarette éteinte.
Machinalement je sers la main tendue.
Je m'attends à ce qu'il demande du feu.

« Vous pouvez me donner des nouvelles de mon fils ? »

Je ne comprends pas.
Il me regarde, un regard neutre.
Je le fixe et je comprends.
Le violeur.

Apnée.
Je pourrais lui rendre vingt centimètres
et quinze kilos.
Mais au lieu de pivoter sur la droite
pour armer mon poing,
je sens mes genoux se dérober,
mon cou bloquer la nuque.
Effort pour rester debout,
garder l'équilibre.
J'ouvre la bouche pour répondre, quoi ?
Répondre quelque chose.

Je ne sais pas quoi.
Que dire ?

Tout mon esprit est accaparé par une seule idée.
Il ne ressemble pas à un nazi/monstre/pédophile.
Il a l'air normal, ce type.
Normal.
Normal.
Normal.

Et il n'a pas une tête de pervers.
Il n'a pas une sale gueule, qu'on cognerait avec plaisir.
Il est presque... non, pas presque, il *est* humain.

Je me rends bien compte que si je ne le frappe pas,
ce n'est pas parce que je me retiens,
c'est que je n'ai pas envie de le frapper,
et cette prise de conscience me terrorise.

Un homme normal, entré libre dans le Palais de Justice.
Un homme est venu se faire juger.
Tout homme a droit...
Pourquoi pas lui ?
Tout homme a droit à être défendu.

Mais moi je ne peux pas, je ne pourrai jamais.
Pas défendre le criminel, mais pas non plus la victime,
car si ce bourreau n'est pas un monstre,
alors quoi dire pour la défense de la victime ?

Il attend, me regarde.
Je ne supporterais pas qu'il me parle à nouveau.
Je lui fais un signe de main en direction de son avocate,
je le contourne et me sauve.

J'entre en coup de vent dans la salle d'audience,
repère Johnny en conversation avec un magistrat,
lui fait signe en posant le dossier sur un banc.
Il a vu.

Je quitte ce palais des tortures pour ne plus jamais y revenir.

N'importe quoi d'autre avec mes diplômes de droit.
Commissaire de police,
c'est plus simple,
c'est plus clair,
c'est plus net,
et on est toujours du côté des bons.

Point barre !

Surprise Surprise

Hope you're proud of all your chasin' 'round

Vendredi 22 décembre.

Ma décision a mûri cette nuit. Flic, non merci.
Je vais passer mon CAP d'Avocat, top pour le CV,
et faire comme des centaines d'étudiants de l'École,
qui choisissent l'entreprise plutôt que le Barreau.

Comme convenu avec Zeev et Ysé,
je passe ma dernière matinée « cabinet A&D »
à boucler quelques recherches de textes au Sénat.
Puis je fonce chez un éditeur juridique rue Soufflot
pour récupérer une revue dont l'équipe a un besoin urgent.

Attendu à 13 heures, j'arrive au cab avec un peu de retard.

Tia m'ouvre la porte.
Derrière elle, l'équipe de Zeev au complet,
Éric et quelques autres, dont Alexandre,
une vingtaine de personnes m'entoure.
Champagne, petits-fours.

Zeev fait un signe à Éric.
Le doyen de la firme lève une coupe et,
la pointant légèrement en ma direction, dit son toast :
« Monsieur Chauveau, j'ai le privilège de vous informer
que vous avez été choisi
parmi les cinq stagiaires du trimestre
pour intégrer le cabinet et y collaborer en qualité d'avocat,
dès que vous aurez prêté serment.
Félicitations ! »

L'assemblée applaudit.
Que faire d'autre que sourire, et trinquer ?
Heureusement qu'à part Alexandre,
personne ne me réclame un discours,
j'aurais levé mon verre à Céline Perrat.
Ou même à Isabelle, toujours dans le coma.

Zeev me glisse :
« On se voit après le pot. »

Marie s'approche à son tour.
« Tout le monde savait qu'ils te choisiraient.
La fête de ce soir, c'est un peu pour toi aussi.
– Je sais pas qu...
– Gaëlle insiste pour que tu viennes.
Mais je ne t'ai rien dit.
– Ah bon ?
Mais je croyais que vous étiez, toutes les deux...
– C'est pas un peu fini, ces bruits de chiottes ?
Je suis mariée, tu sais ? Avec un homme.
Et j'ai juste dit que Gaëlle aimerait que tu viennes.
Pas plus. »

Elle a raison.
Mais on ne se refait pas.

Let Me Go

The bell has rung and I've called time

Le hall se vide rapidement.
Quelques minutes plus tard,
je retrouve Zeev dans son bureau.
« Cher Thomas, m'accueille le boss,
je suis chargé de préciser notre proposition.
– Zeev, je ne...
– Attendez, laissez-moi aller au bout.
Nous vous offrons une collaboration,
pas parce que nous avons un poste vacant,
mais parce que nous voulons vous intégrer, vous.
Vous allez vous-même définir votre poste,
dans mon équipe ou celle d'Éric.
Une orientation généraliste, avec moi,
ou plus spécialisée business chez Dressler.
Et à moyen terme, une troisième option,
dans la mesure où vous seriez attiré par le pénal.
Johnny ne recrute pas, une collaboratrice lui suffit.
Mais nous avons l'espoir de permettre à Delphine
de créer un jour son département en droit du sport.
Ce qui va vous ouvrir une nouvelle opportunité,

d'ici deux ou trois ans, très probablement.
Voilà, j'ai brossé le tableau. Votre sentiment ?
– Eh bien, j'apprécie beaucoup tout ce que vous...
– Vous pouvez, vous êtes le premier stagiaire
pressenti en même temps par trois des associés,
et... pardon, je vous ai coupé la parole.
– Je ne suis pas candidat.
– Ah. Vous avez trouvé ailleurs ?
– Non, j'ai décidé de ne pas prêter serment.
– Allons bon. Vous pouvez m'expliquer ?
– Tout simplement, je n'ai pas la vocation.
– Allez-y, développez, ça m'intéresse. »
Que lui raconter ? Céline ? Rossetti ? Gerber ?
Que je ne me vois pas bosser pour Éric et Isabelle ?
Il est dans le marigot jusqu'au cou.
« Zeev, je ne vais pas faire un discours sur votre métier.
En bref, ce que j'ai appris ici et avec vous tous,
c'est que vous ne changerez jamais les choses.
Les avocats apportent du droit, pas de la justice.
– C'est tout ?
– Ben... il y a eu l'audience de Johnny, hier.
J'ai rencontré le violeur d'enfants.
Là j'ai compris que... que je ne m'y ferais jamais.
– Vous étiez écœuré ?
– Totalement.
– Vous aviez envie de vous enfuir, de tout plaquer ?
– Oui, d'ailleurs je me suis vraiment enfui.
– Stop, le stagiaire.
J'ai fait fausse route en vous vendant une carrière,
même si c'est ce que cherchent en principe
les gens qui passent aujourd'hui par l'École.
Puis-je avoir une seconde chance ?
– Euh, je ne sais pas si...
– Dans l'affaire Opéra,

avons-nous apporté, ou pas, de la justice ?
– Vous auriez sans doute gagné,
si vous aviez été pour l'employeur.
– Je vous remercie de le croire.
Admettons. Mais ce que vous venez de dire,
c'est bien que la justice n'est pas notre propos.
Notre métier c'est défendre,
d'un côté ou de l'autre de la barre.
Si vous avez envie de pratiquer, bien entendu.
– Je suis d'accord, le tout est d'en avoir envie...
– J'y arrive. Je veux dire, à l'histoire de votre fuite.
Parce que ça, c'est important.
– ... ?
– Vous avez eu hier une réaction normale,
que tous les avocats connaissent bien.
– Ça vous arrive ?
– Et pas qu'à moi.
Vous savez ce qu'on fait dans ces cas-là ?
On *attend.*
– On attend... quoi ?
– Rien, simplement on attend.
Et un événement nous remet en selle.
Un bon résultat qui arrive du greffe,
un nouveau dossier intéressant, que sais-je !
Parfois, ça n'est même pas une bonne nouvelle.
Juste une urgence. On s'y remet, voilà tout.
– Une vie de chien ?
– Exact, une vie de chien.
– Alors pourquoi ?
– Parce que nous avons deux motivations fondamentales.
La première est peu avouable, par exemple à nos proches.
Nous aimons cette aliénation, le stress du cabinet,
les vingt décisions difficiles à prendre par jour,
le conflit permanent qui nous baigne d'adrénaline.

L'agressivité nous stimule jusqu'à la dépendance,
jusqu'à en avoir besoin pour travailler.
Aucun métier n'est aussi ingrat et pourtant,
on ferait tout pour ne pas avoir à en changer.
C'est tripal, vous pouvez aussi y voir une drogue,
goûtez-y, nous en reparlerons.
L'autre motivation est plus intellectuelle,
et vous avez déjà commencé à l'intégrer.
Vous avez compris que la justice se tient loin du Palais,
que le droit tel qu'appris à la fac n'existe pas non plus.
Le droit n'est pas plus un absolu que la justice,
le droit n'est rien d'autre qu'une arme.
Il sert à se défendre et à vaincre.
À rien d'autre.
Or c'est l'avocat qui manie cette arme.
Vous voyez, Tom, pour un juriste,
choisir autre chose que ce métier
revient à utiliser une épée comme cure-dents.
Posez-vous, si vous en avez envie,
la question de savoir pour qui vous combattrez.
Mais battez-vous, allez jusqu'au bout de ce qu'est le droit,
et pour ça la seule bonne adresse est le Barreau.
– Pour ce qui me concerne...
– Je vous ai regardé travailler, Tom.
Vous vous impliquez comme je l'ai rarement vu.
Vous êtes fait pour ça.
– ....
– C'était plus convaincant, là, mon argumentaire ? »
Je me marre, et lui aussi.
J'essaie de me défaire de sa pression,
de détourner la conversation :
« Vous m'avez confié la règle n° 2 du métier,
en me promettant que le jour venu,
vous me donneriez la règle n° 1.

– Mais certainement.
Dès que vous aurez intégré le cabinet.
Au fait, votre rapport de stage ?
– Je suis dans l'avant-dernier chapitre.
– Votre sujet ?
– La vie quotidienne dans un cabinet d'avocats.
– Tiens.
Où allez-vous trouver du juridique avec un tel sujet ?
En tout cas, il y a sûrement matière à raconter.
Bon, réfléchissez, on se revoit la semaine prochaine,
Vous me dédicacerez votre travail,
et vous me direz ce que... »
J'essaie d'être ferme.
« Zeev. C'est tout réfléchi. »
Il s'énerve brusquement :
« Eh mais vous êtes bouché ou quoi ?
Pas question que vous démissionniez à nouveau.
– Mais je n'ai pas à démiss... »
Il se lève, pour le coup, vraiment en colère :
« Vous allez m'écoutez ou non ?
Vous aimez la bagarre, n'est-ce pas ?
Si vous étiez mon petit frère, je vous mettrais une trempe.
Assez de vos états d'âme, des dossiers vous attendent ici.
La question n'est pas de savoir
si vous allez ou non être avocat.
Vous l'êtes, et c'est sans appel.
Avocat, vous m'entendez ?
Vous allez juste prêter serment et c'est marre.
Avocat ! Point barre.

Et pour l'instant giclez d'ici, confrère. »

Nos héros quittent la scène.
La lumière décroît jusqu'au noir.
Obscurité chargée d'électricité.
Fin du concert ?
Cris de la foule.

« Une autre ! »

(I Can't Get No) Satisfaction

But I try, yes I try

J'ai rangé mes petites affaires
et je suis retourné chez ma mère.

Après dîner, je me suis enfermé dans ma chambre.
110 décibels dans les écouteurs,
j'essaie d'évacuer.
C'est avec Johnny que j'aurais voulu débriefer le stage.
mais il n'a pas mis les pieds au cabinet de toute la journée.

Pour le voir, il y a la fête de ce soir, bien sûr.
Mais Carole y sera, peut-être accompagnée.
No way. Il me faut trouver une occupation.
Pourquoi pas finir mon rapport de stage ?

Je branche ma clé USB dans le micro.
Chapitre de conclusion.
Je n'y arrive pas.
C'est à force de danser en attendant l'inspiration
que je finis par capter : la boucle n'est pas bouclée.
Voir Johnny.

Juste le temps de remplacer ma défroque de stagiaire
par l'attirail du vrai Tom, le seul qui me convienne.
Fringues choisies à King's Road, pareil pour les gégènes.
Allez fais vite, taxi, j'ai à faire avenue Kléber.

On entend le brouhaha depuis le bas de l'immeuble.
L'ascenseur est classieux, mais pue grave la pisse.
Je grimpe dans les étages, trouve Marie à l'accueil.

Elle me branche. On se fait la bise ?
Oui, Carole est arrivée, elle est à l'intérieur.
Et Johnny ? Il était là mais tu l'as raté.
Elle me raconte le dernier scoop du cab.
Dans la nuit de jeudi à vendredi,
Johnny et un ami ont parié de vaincre la barre.
Laquelle ? Celle des dix minutes pour traverser Paris
de la porte de Clignancourt à la porte d'Orléans.
Ils se sont fait serrer en Porsche dans un couloir de bus.
La nuit au commissariat, en cellule de dégrisement.
Johnny était le passager, heureusement.
Mais le matin venu, il n'a pas pu s'empêcher
d'exciter un peu les flics ; ils l'ont un peu gardé.
C'est un avocat, ils doivent faxer chez le bâtonnier.
Outrage à agents, ils ne l'ont pas raté.
Éric, comme d'hab, a fait ce qu'il fallait.
Johnny est sorti en fin de journée,
il a fait un saut à la fête,
et il est reparti, un peu chargé.

Je promets à Marie de repasser,
et me rue dans les escaliers.

Je me donne 80 % de chances
de le trouver au Lawyers Pub,
et dès qu'il ne s'agit pas de filles, j'ai de la chance.
Johnny s'y trouve, seul, écroulé dans un fauteuil,
un verre au bout du bras, les yeux dans le vague.
La pause de Tony Montana dans *Scarface.*

Je m'assois en face de lui.
Quand le serveur se pointe,
je montre du doigt le verre de Johnny.
Je vais boire à son rythme, tant qu'il le faudra,
jusqu'à ce qu'il me parle, s'il en a envie.
Ce soir, je veux bien attendre.

Je n'aurai pas à patienter longtemps,
une petite vingtaine de minutes seulement.
Il finit par dire, geste du menton vers mon drink :
« Tu bois avec moi, mais tu t'es barré, hier. »

C'est peut-être un tutoiement de circonstance,
n'empêche que ça fait cent fois plus plaisir
que le *graine d'associé* de Dressler.

« J'ai fait le taf que tu m'as demandé,
mais je n'embarque pas dans votre galère. »

Johnny renverse la tête en arrière.
Quand son regard revient se poser sur moi,
je sens que l'avocat est de nouveau clair.

« Tu n'as pas besoin de m'expliquer, Zeev l'a fait.
– Zeev ? Il ne comprend rien.
– Et moi je comprends tout, c'est ça ?
– Au début, je trouvais Zeev extraordinaire.

Un pur, si tu préfères. »
Rictus de Johnny.
« Et qu'est-ce qui t'a fait renoncer à cette idée farfelue ?
– Il s'est aplati face à Éric et Isabelle, pour FINHOLD.
Et tu sais, Céline, l'assistante qu'Éric a virée ?
Zeev connaît plein de monde, il pouvait l'aider.
Je le lui ai demandé. Tu sais ce qu'il m'a répondu ?
– J'imagine.
– Ça ne lui aurait rien coûté de faire ce geste.
– Et c'est à cause de Zeev que tu nous chies un flan ? »
J'ai voulu voir Johnny.
Pourquoi, sinon pour tout lui balancer ?
Il est prêt à m'accoucher, alors j'accouche :
« Je n'ai pas pu dire à Zeev ce que je peux te dire, à toi.
Par où commencer ?
Le dossier FINHOLD, ça m'a travaillé.
Nino Hagen, le donneur d'ordres qui se dit avocat,
est richissime, j'ai visité son yacht.
Il vous paie 500 euros l'heure sans discuter.
Des centaines de milliers d'euros depuis un an.
Et pourquoi ? Pour couvrir un réseau de magasins,
dont certains perdent de l'argent. Ça me va pas.
Avec quel blé ? Un pool bancaire établi en Suisse.
Personne ne sait qui est derrière.
Ou ce fric est sale, ou je délire.
Je délire, Johnny ?
– Continue.
– J'ai raison, n'est-ce pas ? Ce fric est sale.
Je me suis démerdé la liste des dossiers FINHOLD.
Mises bout à bout, les affaires confiées par Hagen
dessinent un drôle de paysage.
L'affaire EUROFIN, c'est un dossier FINHOLD.
Cette fameuse affaire où Isabelle a eu un accident.
Il s'agit de quoi ? De mettre à genoux un fabricant de hi-fi,

pour le racheter. Même histoire que PRECA, qui distribue.
Tous les moyens sont bons pour implanter en France
une pieuvre qui va couvrir le territoire de ses produits.
Et je vais te dire pourquoi j'emploie le mot pieuvre. »
Johnny fait un signe au serveur. Je continue :
« Hagen investit beaucoup trop d'argent là-dedans.
Ça ne peut pas se justifier en termes de rentabilité.
Ils ont donc un autre intérêt dans cette opération,
autre chose que la production de home cinema,
et tu sais très bien où je veux en venir.
– Je t'écoute.
– Oui, et tu m'arrêtes si je dis des conneries.
J'ai vérifié la facturation des dossiers.
J'ai tout repris par ordre alphabétique.
À la lettre S, tu sais qui j'ai trouvé ?
– ...
– Bien sûr que tu sais.
S comme Streiff, le dealer international.
Celui que tu as sorti du trou fait partie du clan Hagen.
Bien sûr, nous n'avons pas la preuve formelle, au dossier,
que son réseau de transport couvre la distribution de came,
mais tu ne m'arrêtes pas, c'est que tu le reconnais.
Alors un plus un égale deux.
Hagen est en train d'installer un réseau puissamment conçu
pour importer, distribuer, et servir la came,
partout dans le pays
et peut-être ailleurs.
Une couverture en béton. Tout est légal.
Les dirigeants FINHOLD France sont des notables. Génial.
Voilà pour qui bosse le cabinet, toi y compris.
– ...
– Ça me tue que tu te taises.
– ...
– Bon, maintenant que j'ai craché ma Valda,

je voudrais te poser une question,
la seule à laquelle je n'aie pas de réponse.
À la lettre R, il y a Rossetti.
Une prostituée facturée à Hagen 500 euros.
Éric a maquillé, comptablement, le dossier.
Une convention d'honoraires y figure, à 400 euros.
En cas de contrôle,
elle apparaît comme une Cliente normale.
Pourquoi Hagen défend une pute ? Et à ce prix-là ?
Elle est propriétaire d'un appart' payé 600 kilo euros.
C'est pas ses économies.
Un héritage ? Elle aurait raccroché.
Il y a forcément autre chose.
– La même chose, demande Johnny au serveur.
– Johnny, j'y suis allé, chez Rossetti.
Te moque pas, c'était professionnel.
Bon, marre-toi si t'as envie.
Cette femme a une sacrée carrure, je parle au figuré.
Elle fait peut-être vraiment la pute,
mais sûrement pas que ça.
Il y a chez elle le même coffre que dans le bureau d'Éric.
Et ce n'est pas tout.
Éric traite le dossier Rossetti comme s'il était stratégique.
Un dossier de trouble de voisinage, tu le crois ?
Il y a des rapports étroits entre Éric et cette pute,
qui ne s'expliquent pas par une histoire de fesses.
J'ai calculé combien de passes elle fait par an,
ça donne une moyenne inférieure à deux par semaine.
Même si elle fait du black, ça tient pas la route.
Alors voilà ma question :
Ce lien, entre Hagen, Dressler, et Rossetti, c'est quoi ?
– ...
– Elle a une fonction dans le réseau, c'est ça ?
– ...

– OK, laquelle ?
– ...
– Johnny, j'ai quitté le cabinet,
Il n'y a aucun enjeu avec moi.
Tu peux me parler.
– Tu veux savoir ? Pas de problème.
Admettons que tu importes de la came.
Ton problème est de sécuriser le deal.
Par rapport aux flics, bien sûr.
Mais pas seulement.
Il y a de la concurrence,
du genre plus que sauvage,
dont tu ne réglerais pas le sort au tribunal.
Tu vas donc passer des accords avec les petits parrains,
parfois juste des truands locaux.
Tu leur offres un bout du gâteau,
et ils te couvrent sur leur territoire.
Un sorte de racket volontaire.
Le business de la came, c'est un triple réseau,
la distribution en gros, le commerce de détail,
et des intermédiaires qui sécurisent l'activité.
Tu l'as, ta réponse ?
– Oui. Du moins je crois.
Rossetti a été installée à Paris avec une couverture,
elle se sert de l'appart' pour recevoir ces intermédiaires.
Je parie que son coffre est bien garni en grosses coupures.
Oui, bien sûr, elle est stratégique pour Hagen.
– Bon, tu sais tout maintenant. Et alors ?
C'est à cause de ce Client que tu nous plantes un Vietnam ?
– Merde, qu'est-ce qu'il te faut !
Peut-être que tu n'as plus le choix, moi si.
Je découvre que le cabinet tourne pour une mafia,
et tu voudrais quoi, que je m'engage ?
– Bon ça suffit, Tom,

rien ne te permet de parler comme ça.
Pourquoi pas les triades chinoises,
tant que nous y sommes ?
– Donc je délire ?
– Je vais te rappeler la réalité que tu as l'air d'oublier.
A&D fait travailler quelques dizaines de vraies gens,
qui défendent des centaines d'autres vraies gens.
FINHOLD c'est 30 dossiers, sur combien, plus de 1 500 ?
Tu peux remettre les choses en perspective ?
– Dis-moi que Hagen est clean, qu'il est vraiment avocat.
– Il l'est.
– Et alors, ça veut dire quoi ? Que je me suis fait un film ?
– Tu sais que je suis évidemment au courant
de ce que tu racontes.
Donc tu n'es pas venu jusqu'ici
pour m'apprendre quoi que ce soit.
– Exact, comme vous dites.
– Tu es venu pour entendre ce que j'en pense ? »
Je vide mon verre et j'attends.
« L'inconvénient du cinéma américain,
c'est que nous passons pour des truands
dès l'instant où nous défendons des truands.
Quand l'avocat de cinoche découvre
qu'il défend un criminel,
le spectateur est bouleversé.
Normal, il a un jugement moral.
Mais toi, tu n'as pas à tomber dans ce panneau.
Défendre les criminels,
mais putain, c'est le premier boulot de l'avocat !
Mon Client est un dealer, et alors ?
Tes patrons au cabinet font leur métier, c'est tout.
– Et toi, tu es à l'aise avec ça ?
– Je te confirme.
J'ai de la chance d'être partner chez A&D.

– Je ne te crois pas.
– Dans ce cas, ne fais pas de pénal.
– Mais tu ne vois pas que ça gangrène tout ?
Je ne veux pas devenir comme Zeev,
m'écraser quand on en vient à parler de pognon sale,
juste parce que c'est du gros pognon.
– Zeev l'a reclassée, Céline Perrat. »
J'ai dû mal entendre.
« Tu peux répéter, là ?
– Il lui a retrouvé une place d'assistante juridique.
En un après-midi. En CDI, au même salaire.
– Tu te fous de ma gueule.
– Appelle-la.
– Putain...
– Eh oui, Tom, ne juge pas trop vite.
Et puis juger, c'est pas ton métier.
Un dernier ?
– Je te suis. »
Johnny passe la commande.
« On parlait de quoi déjà ?
– Tu me reprochais de juger un peu vite.
– Oui. Il n'est pas question que nous jugions les Clients.
C'est déjà assez difficile d'obtenir que le juge le fasse.
– Et si tu n'es pas d'accord avec le jugement ?
– Alors tu as le blues. Ça fait partie du jeu.
– C'est pour ça que tu bois ?
– Tu aimes le rock, n'est-ce pas ?
Dans le temps, j'étais un spécialiste.
Au point de vouloir exercer pour les artistes.
Et puis tu vois, la passion du crime a été plus forte.
Mais peu importe. Donc j'étais champion du monde
sur la période seconde moitié des sixties.
Je vais te raconter une petite histoire.
Arrête-moi si tu la connais.

La scène se déroule aux States.
Un groupe anglais enregistre dans un studio.
Un matin, le guitariste se pointe avec un nouveau riff.
Le chanteur essaie de broder des paroles, sans succès.
Sur ce, le guitariste pense à une chanson de Chuck Berry, *Thirty Days*, je crois, surtout à un vers qui lui plaît.
– Bien sûr ! Je vois lequel. T'es vraiment pointu !
– J'aimerais que tu la prononces, cette fameuse phrase.
– I can't get no satisfaction from the judge.
– Exact ! Je ne parviens pas à convaincre le juge.
Tu as le droit d'avoir le blues dans ce cas-là.
Pas à cause de tout le bordel autour. »
Nous finissons nos verres.
Nous sommes tous les deux bien partis.
« Johnny, on va pas démarrer une discussion d'ivrognes.
Je te remercie pour...
– Attends, tu ne vas pas t'en tirer comme ça.
Je ne cherche pas à te convaincre,
seulement que tu réfléchisses.
Mélange pas les blues.
Seul le juge compte.
Pas tes Clients.
Et surtout pas tes histoires de cœur.
– Tu veux dire quoi, là ?
– Tu savais en venant que tu ne m'apprendrais rien.
– Tu es au courant ?
– Tout le monde est au courant.
Et ceux qui sont ce soir à la fête ont vu que c'est fini.
– Je t'emmerde, Johnny. »
Je sors ma carte de crédit.
« Laisse, j'ai une carte du cabinet, dit Johnny.
– Non, c'est pour moi. Tu m'as donné une bonne leçon.
– Nous avons seulement discuté autour d'un verre.
Les leçons, c'est au tribunal que tu les prendras.

Qu'est-ce que tu attends ?
– C'est toi la leçon, Johnny, pas ce que tu dis.
Il a été relaxé, le violeur des gosses ?
– Tout comme. Sa peine couvre la préventive.
Il n'ira pas vraiment en prison.
– J'avais compris.
Tu ne t'en remets pas.
T'as fait le con la nuit dernière.
Tu ne dessaouleras pas du week-end.
J'assume peut-être pas, mais toi non plus.
– Mais moi j'essaie. Oui, j'essaie. »

DERNIER RAPPEL

Jumpin' Jack Flash

Watch it!

Qu'as-tu à perdre, Tom, va voir !

D'accord, Jack, j'y vais.

Voilà, le concert est vraiment fini,
sur un dernier salut des artistes en noir.

Good bye, we got to go
Good night
You've been wonderful
We'll see you next year
Bye-bye!

LE SANS APPEL TOUR 2007
une production d'ACIER

Anne Carrière International Entertainment Records

sur scène

Alexandre Svidler, avocat collaborateur d'Isabelle Aubier
Ange Navale, avocat partner du cabinet A&D
Antonio « Nino » Hagen, avocat suisse, chairman de FINHOLD
Benedetti, avocat niçois de Simon Gerber
Brigitte Merle, principale du cabinet A&D
Carole Le Gai Puiser, avocate collaboratrice d'Ange Navale
Céline Perrat, assistante d'Éric Dressler
Charlotte, secrétaire de Zeev Rohach et de Jean-Philippe Micoli
Delphine Bratter, avocate collaboratrice de Jean-Philippe Micoli
Eddie, chauffeur coursier du cabinet A&D
Éric Dressler, avocat cofondateur et partner du cabinet A&D
France Chevalier, avocate en droit social, amie de Zeev Rohach
Gaëlle, avocate collaboratrice d'Isabelle Aubier
Guy Derrien, avocat collaborateur d'Isabelle Aubier
Isabelle Aubier, avocate cofondatrice et partner du cabinet A&D
Jean-Georges Gruzain, avocat adversaire de A&D
Jean-Philippe « Johnny » Micoli, avocat partner du cabinet A&D
Franck Plu, caissier comptable du cabinet A&D
Le Lorrain, avocat en droit social, adversaire de A&D

Lisbeth « Basha » Krogager, assistante de Zeev et Johnny
Marc-Alain Darrieux, avocat collaborateur de Jean-Georges Gruzain
Marie, avocate collaboratrice d'Isabelle Aubier
Monique Painsillon, chef habilleuse à l'Opéra, cliente d'Ysé
Nathalie, assistante d'Ange Navale
Parina, assistante d'Isabelle Aubier
Rachel, hôtesse d'accueil standardiste du cabinet A&D
Rafaella Rossetti, prostituée, cliente d'Éric Dressler
Simon Gerber, président de la chaîne PRECA, client de Zeev Rohach
Tia, hôtesse d'accueil standardiste du cabinet A&D
Thomas « Tom » Chauveau, avocat stagiaire
Ysé Aboulker, avocate généraliste, collaboratice de Zeev Rohach
Zeev Rohach, avocat généraliste, partner du cabinet A&D

tour manager
Joyce Ktorza

backliners
Coco, Chompch & Ricky, Agnès BB,
Vieille Dub, les 2 Zamours, Docteur Georgette

roadies
Beau Gosse, Bibiche, Lïor, Rapha, Valentine

trucks drivers on tour
Patrick Youval, Pierre Carquin

régie
Mu 2

prises de vues
Bastille Optic Paris

opérateurs vidéo
Gad, Ben, et Simon

sound check
Éric Rock'n'Robe

bande originale

The Glimmer Twins
dont le répertoire a inspiré les têtes de chapitre

Ramones, Jean-Louis Aubert,
Pete Townshend, Chuck Berry, George Harrison
dont quelques vers sont tapis dans le texte

set list

Star Spangled Banner 11
Start Me Up 13
Walking The Dog 21
The Under Assistant West Coast Promotion Man 31
Neighbors 39
Out Of Control 51
Going To A Go Go 55
Flight 505 65
Back To Zero 77
Paint It Black 85
Gimme Shelter 91
Who's Been Sleeping Here 97
Sister Morphine 101
Short And Curlies 109
It's Not Easy 117
It Hurts Me Too 123
Heartbreaker 127
Respectable 133
I Wanna Be Your Man 141
Beast of Burden 147

Just My Imagination 153
She Saw Me Coming 161
The Worst 163
Highwire 169
Money 173
Hand Of Fate 181
Some Girls 185
My Obsession 197
Happy 209
Let's Spend The Night Together 213
One Hit (To The Body) 217
Sad Sad Sad 221
I Just Want To Make Love To You 227
She Was Hot 233
Gunface 235
You Can't Always Get What You Want 239
Dear Doctor 245
Don't Lie To Me 257
Rough Justice 261
Lies 271
Emotional Rescue 275
Congratulations 287
Dirty Work 289
Sleep Tonight 295
Back Of My Hand 299
Winning Ugly 305
Got My Mojo Working 321
Bitch 329
Carol 335
Sympathy For The Devil 339
Surprise Surprise 347
Let Me Go 349
(I Can't Get No) Satisfaction 357
Jumpin' Jack Flash 369

direction de production
Stephen Carrière

direction artistique
Bénédicte Laplace

relations publiques
Taly Agency Neuilly

legal
Ingrid Haziot Law Firm Paris

Special thanks
Christel Chassagnol

Cet ouvrage a été composé et imprimé par

Mesnil-sur-l'Estrée

pour le compte des Éditions Anne Carrière
104, bd Saint-Germain 75006 Paris
en mars 2007

Imprimé en France
Dépôt légal : avril 2007
N° d'édition : 428 – N° d'impression : 83516